知念実希人

吸血鬼の原罪
天久鷹央の事件カルテ

実業之日本社

実業之日本社文庫

目次

吸血鬼の原罪
Killing for Atonement
天久鷹央の事件カルテ

プロローグ

畜生、最悪だ。

樹々の葉から滝のように落ちてくる雨を浴びながら、権田鉄平は唇を噛む。

日付が変わった三時間ほど前、生業であるつり銭拾いへと出かけた。住み処としているこの久留米池公園の周りを深夜に練り歩き、飲料の自動販売機などのつり銭受けを確認して、忘れられている小銭を探すのだ。今日もその『仕事』に出かけたのだが、三キロほど離れたところにある自販機についたころ、突然、大粒の雨が降ってきた。

もう六月だが、夜はまだ冬のように寒い。夜風が濡れた体から容赦なく体温を奪っていった。最初は早く段ボールとビニールで作った自らの家に帰ろうと小走りで公園に向かっていたが、すぐに足が重くなり、背中を丸めて雨にうたれるまま歩くしかできなくなった。昨日の夜、コンビニで買った菓子パンを一つ食べてから、なにも口にしていない。公園までの三キロを急いで帰るほどの体力は残っていなかった。

ホームレスになって二十年以上、つり銭拾いを主な収入源としてきた。昔は一晩に二千円ほど手に入れられる日もあり、食料に困るようなことはほとんどなかった。しかし、最近になってめっきり収入が減った。現金ではなくICカードなどを使う者が増え、自然と自販機に忘れられるつり銭も少なくなっている。ホームレスに対する福祉事業を行っているNPO団体から食料をもらうなどしてなんとか生きていた。

——権田さん、もうすぐ還暦なんですから、いつまでもこんな生活は難しいですよ。私たちが手配しますから生活保護を受給しましょう。

先日、食料をもらった際、ボランティアから掛けられた言葉が耳に蘇（よみがえ）る。

「ふざけんな。なにが生活保護だ」

口腔（こうこう）内で舌打ちが弾（はじ）ける。怒りがわずかながら体温を上げてくれた。

生活保護を受けるには、住所が必要だ。あいつらが勧める安アパートに住まなければならなくなる。それが、権田には耐えられなかった。

あたりを見回す。樹々の隙間から弱々しい街灯の光が差し込んでくるだけの、闇がわだかまる林。ここそが、権田にとっての『家』だった。

この久留米池公園には十数人のホームレスが棲（す）みついているが、権田はその最古参だ。ときどきテリトリーをめぐってホームレスたちの間で小競り合いが起きるが、権田が段ボールハウスを作っているこの近辺を侵そうとする者はいない。

かつて、カッパが出るなどと噂（うわさ）されたこともある、大きな池の周りに広がるこの広大な公園。権田はそこに君臨する王だった。

　この公園のなかにいるかぎり、頂点であり続けられる。けれど、もしボランティアどもの勧めに従ってここから去れば、俺は一気に社会の最底辺へと叩き落とされる。

　ここは俺の場所だ。俺はこの公園で生き、そしてこの公園で死ぬんだ。

　あと少しで『家』につく。この濡れて冷えきり、重くなった服を脱げば、いくらか楽になる。そう思ったとき、権田はなにかにつまずいて転倒した。

　雨でぬかるんだ地面に勢いよく両手をつき、泥が飛び散って顔を叩く。

「なんなんだ、くそが！」

　悪態をついた瞬間、掌に硬いものが触れる。無意識にそれを掴んだ権田は、顔の前に手を持ってきた。雨が碁石ほどの塊から泥を洗い流していく。掌の上で、街灯の薄い明かりが煌めいた。小さな結晶だった。どこまでも透明で澄んだ結晶。その淡い輝きは、それが単なる硝子玉ではないことを示していた。

「水晶……？」

　まばたきをした権田は、それがストラップについた小さな水晶だと気づく。

　いったいなんで、こんなものが？　首を回すと、泥にまみれて人が倒れていた。その体に足を引っかけてしまったらしい。

「誰だ、てめえ！」

立ち上がった権田は、倒れている人物に近づく。若い男だった。暗くて肌の色ははっきりしないが、かなり彫りの深い顔立ちをしている。おそらくは、外国人だろう。最近は外国人のホームレスも増えている。

「兄ちゃん。こんなところで寝られたら困るんだよ。どっかへ消えてくれ」

男を睥睨しながら、権田は吐き捨てるように言う。しかし、反応はなかった。

「おい、無視してんじゃねえぞ！」

泥にまみれた手を伸ばして男のTシャツの襟をつかむ。びりびりと生地が破れ、男の胸元が露わになった。権田は「うっ」と声を上げて手を離す。

男の左胸、鎖骨の下あたりに、やけにリアルで不気味なコウモリが描かれていた。

「刺青……」

ホームレスになったばかりの頃、池袋駅近くの公園で寝泊まりしていて、ヤクザに絡まれた記憶がよみがえる。「誰に許可とって、こんな所で寝ているんだ」と因縁をつけられ、数人に袋叩きにされた。だからこそ、暴力団事務所も多い歓楽街から離れ、住宅街の真ん中にあるこの公園を住み処に選んだのだ。

この男もヤクザなのだろうか。一瞬、腰が引けてしまうが、よく見ると刺青はヤクザの背中にある和彫りとは全く違うものだった。最近の若者は、ファッションとしてタトゥーを彫ることが少なくない。権田は安堵の息を吐く。

「おい兄ちゃん、どっか行けって。この近くじゃなきゃ、文句は言わねえよ」

トラウマを思い出したせいか、いくらか冷静さを取り戻していた。これだけ若いなら体力もあるだろう。俺の『国』に住まわせてやれば、役に立つかもしれない。

「池の向こう側なら、最近まで住んでいた奴が消えたから、そいつの『家』が残ってる。そこなら使ってもかまわねえぜ」

権田はあごをしゃくる。しかし、やはり男は反応しなかった。消えかけていた怒りの炎が、新鮮な酸素を送り込まれたかのように再び燃え上がる。

「シカトしてるんじゃねえ！」

権田は水晶をズボンのポケットにねじ込むと、平手で男の頰を思いきり張る。雨音に混じって、バチンという小気味いい音が響き、男の顔は力なく横を向いた。そのとき、男の首筋に二つの小さな穴が開いていることに権田は気づいた。

なんだ、この穴は？　まるで、何かで刺されたような……。

権田はおずおずと手を伸ばし、今度は柔らかく男の頰に触れた。掌に伝わってきた感触に、口から「ひっ」というか細い悲鳴が漏れた。

男の頰はゴムのように冷たく、硬かった。権田はその感触を知っていた。去年、この公園に住みついていた老齢のホームレスが自らの家で死んだ。権田は仲間の死を悼み、警察に収容される前に、遺体の顔を撫でて別れの挨拶をした。そのときと全く同じ感触が、目の前に倒れている男の皮膚から伝わってきた。

「し、死んで……」

喉の奥からかすれ声を漏らしながら、権田は後ずさっていく。背中になにかが当たった。権田は関節が錆びついたかのような動きで、首だけ回して背後を見る。

そこに男が立っていた。背の高い男が。

膝から崩れ落ちた権田は、ぬかるんだ地面に尻をつけて男を見上げる。街灯がある方向を背にしているので、逆光になってそのシルエットしか見ることができない。

次の瞬間、雷鳴がとどろいた。まばゆい雷光に浮かび上がった男の姿に、権田の口から悲鳴が迸った。

その顔は人間とは思えないほどに蒼白く、痩せて、頬骨が浮かび上がっていた。眼窩が落ち窪み、眼球はクモの巣が張っているかのように血走っている。そして、血の気の引いた唇の奥からは、二本の長く尖った歯が覗いていた。

まるで、牙が生えているかのように。

こいつだ。この怪物が男を殺したんだ。権田は『怪物』に背中を向けると、泥まみれの地面を這うようにして必死に逃げていく。

一秒でも早くこの林から、怪物が棲みついたこの公園から逃げ出したかった。

二十年間、住み続けた『国』を捨て、権田は何度も転びながら必死に走り続けた。

第一章　吸血鬼連続殺人事件

1

見つめる。じっと見つめる。

ローテーブルの上に置かれたショートケーキを僕、小鳥遊優はにらめっこでもしているかのように凝視し続ける。

「どうされました、小鳥遊先生。甘いものはお嫌いでした？」

愛想のよい声をかけられて視線を上げると、しわの寄ったコートを着た中年男、警視庁捜査一課殺人班の刑事である桜井公康が立っていた。その後ろにはこの地域を所轄する田無署の刑事である、成瀬隆哉の姿もある。桜井は人のよさそうな笑みを浮かべた。

この笑顔が油断ならないのだ。まだ五十前だというのに、好々爺のような雰囲気を醸し出しているその仮面の下に、どこまでも計算高い裏の顔が潜んでいることを、僕はこれまでのこの男との付き合いで知っていた。

「甘いものは好きですよ。ただ、知らないおじさんからお菓子をもらっちゃだめだと、子供の頃から両親に、きつく言い聞かせられたもので」

桜井は「知らないおじさんとはひどいなぁ」と片手で顔を覆った。

「統括診断部の皆さんとは何度もともに手を取り合って修羅場を潜り抜け、様々な事件を解決した仲じゃないですか」

「思い出が改竄されているようですね。僕の記憶では、あなたにいいように利用された一般人の僕たちが、『様々な事件』で矢面に立たされ、危険に晒されたんですが」

「『一般人』なんてご謙遜を」

芝居じみた仕草で桜井は両手を広げる。

「これまで難事件を次々と、快刀乱麻のごとく解決してきたタカタカペアの名は所轄署のみならず、いまや本庁にまで轟いていますよ」

「そのおかしな名前、本当にやめて！」

抗議すると、僕の右隣でフルーツタルトを頬張っていた二年目の研修医で、現在統括診断部で研修中の鴻ノ池舞が、「そうですよ！」と同調した。

「最近は私も統括診断部の捜査に参加しているじゃないですか。小鳥先生だけじゃなく、私の名前も入れて下さいよ」

「えっと……、それでは『タカノトリ』とかですかね？」

「あ、いいですね、それ。嬉しい」

研修医用のユニフォームである青いスクラブを着た鴻ノ池は、両手を合わせた。

「タカノトリって、大相撲の四股名じゃあるまいし……」

強い疲労感をおぼえ、僕は肩を落とす。

東京都東久留米市一帯の地域医療を担う総合病院、天医会総合病院の屋上に建つこの〝家〟に桜井が成瀬を引きつれてやってきたのは、十分ほど前だった。

午後六時過ぎ、僕と鴻ノ池が業務を終え、統括診断部の医局兼、統括診断部部長の天久鷹央の自宅であるここに戻って一息つくと、まるでタイミングを見計らったかのように（本当に見計らっていた可能性も十分にある）ノックが響き、「どーも、皆さん。ちょっと近くに寄ったのでご挨拶にうかがいました」と桜井が顔を覗かせた。

「『こんばんは』。ほれ、挨拶だ。用事は済んだな」

この〝家〟の主である天久鷹央は、普段着である若草色の手術着姿でソファーに寝そべって文庫本を読んだまま、虫でも追い払うように手を振った。すると、桜井は手に持っていた箱を勝ち誇るかのように掲げた。

「手土産にケーキを買ってきたのですが、ご迷惑でしたか？」

「迷惑だなんてとんでもない！　久しぶりに会いたいと思っていたところだ」

鷹央はばね仕掛けのおもちゃのように勢いよく立ち上がったのだった。

かくして、ローテーブルの上にケーキが置かれ、鷹央と鴻ノ池は嬉々としてそれを食べている。しかし、僕はどうしてもケーキに手をつける気にならなかった。

「なんだ小鳥、いらないのか？　しょうがないな、私がもらってやるとするか」

鷹央がフォークを伸ばしてくるが、僕は素早く皿を手に取りショートケーキを守る。

「あっ、こら。私のケーキを」

「僕のケーキです。危ないからフォークを振り回さないで下さい」

高校生、場合によっては中学生だと思われることもある童顔で、その行動にいたっては小学生のような鷹央だが、実際は二十八歳の立派な成人女性だ。しかも統括診断部の部長、つまりは僕の直属の上司でもある。

「振り回すのを止めさせたければ、私のケーキを返せ。さっさと返せ」

僕は仕方なく、ショートケーキに載っているイチゴをつまむと、身勝手なことを騒ぎ立てている鷹央の口に放り込んだ。少し黙っていてもらわないと、話が進まない。

大人しくイチゴを咀嚼しはじめた鷹央から桜井へと、僕は視線をもどす。

「で、なにを企んでいるんですか？」

「企んでいるとはなんのことでしょう？」桜井は心から不思議そうに目をしばたたい

た。

　この腹黒タヌキめ。僕はすっと目を細める。

「しらばっくれないで下さい。警視庁捜査一課殺人班のあなたが所轄署の成瀬さんと一緒に行動しているということは、殺人事件で捜査本部が立っているということです。そんな忙しいときに、ただ挨拶のためにふらっとやってくるなんてあり得ない」

「なるほどなるほど」

　桜井は楽しげに相槌を打つと、先を促すかのような眼差しを向けてくる。

「わざわざ手土産までもってやってきたということは、警察には手に負えないような不思議な事件が起こった可能性が高い。そして、鷹央先生の知恵を借りつつ、あわよくば僕たちを事件に巻き込もうとしているんでしょ」

　僕が人差し指を突きつけると、桜井は小さく手を打ち鳴らした。

「ご名答。さすがは小鳥遊先生です。鷹央先生の下で摩訶不思議な事件の捜査を学んできただけある。鷹央先生の指導の賜物ですね」

　イチゴを呑み込んだ鷹央が、「そうだろう、そうだろう」と鷹揚にうなずいた。

「僕が統括診断部で学んでいるのは、事件の捜査じゃなくて、病気の診断学です」

「けれど、いつも小鳥遊先生も事件の捜査に参加して下さっているじゃないですか」

　痛いところをつかれ、僕は言葉に詰まる。統括診断部は決して探偵事務所ではない。

本当なら危険な事件などにかかわりたくないのだが、止める間もなく鷹央が嬉々として捜査をはじめてしまうのだ。

普段は冬眠中のクマのように、この薄暗い部屋に籠って本を読んだり、ネットをしたり、映画やアニメを鑑賞したりしている鷹央だが、ひとたび魅力的な謎を前にすると、目の前にニンジンをぶら下げられた競走馬のごとく突っ走りはじめる。超人的な知能と膨大な知識、無限の好奇心を普段から持て余している鷹央にとって、それを発揮するチャンスはケーキを超える大好物だ。そして、彼女が事件に首を突っ込む際、決まって部下である僕も付き合わされるのだ。

事件捜査など医師の仕事ではないのだから、別に付き合わなくてもいいのかもしれない。しかし、基本的に重度の引きこもりで社会不適合者の鷹央を一人で行動させたりしたら、一体なにをしでかすか想像しただけでも恐ろしい。仕方なく、鷹央と一般社会の緩衝材として、僕がともに行動することになるのだ。

必死に桜井への反論を考えているせいで、警戒が薄れてしまった。いつの間にかソファーの上に立ち上がっていた鷹央が横から手を伸ばし、僕が頭上に掲げていた皿に載ったショートケーキに深々とフォークを突き刺す。

「あ、なにやっているんですか？」

「ん？　お前のケーキを盗んでいるだけだが？」

「開き直らないで下さい。こら、僕のケーキを返せ」

　僕がケーキを奪い返そうと手を伸ばすが、その前に鷹央はフォークで持ち上げたショートケーキの周りについているクリームを、べろべろと舐め取りはじめた。

「どうだ、これでもまだ返して欲しいか？」

　口の周りにクリームで白髭をたくわえた鷹央が、勝ち誇るように薄い胸を張る。

「……もういりません。どうぞ食べて下さい」

「おっ、いいのか。それじゃあ遠慮なくいただくとしよう」

　鷹央は大きく口を開けてショートケーキにかぶりついていく。わずか十数秒でケーキを平らげた鷹央は、居ずまいを正した。

「さて、腹も膨れたし、話を聞くとするか。なにが起きた？　どんな不可思議な事件をお前たちは捜査しているんだ？」

　鷹央は口の周りについているクリームを舐め取る。その姿は、獲物を前にした肉食獣が舌なめずりをしているかのようだった。予期せずケーキと謎という二種類の大好物がやってきて、鷹央にとっては一石二鳥といったところなのだろう。反対に、やっかいごとが舞い込んできたうえケーキまで取られた僕は踏んだり蹴ったりだ。

「最初にお断りしておきますが、これからご説明することは、まだ一般には公表されておりません」

桜井の顔からへらへらとした笑みが消えていく。

「他の奴らに情報を漏らすなって言うんだろ。分かってるよ」

言葉を切った鷹央は、にやりと笑みを浮かべて、桜井の後ろに立つ成瀬を見る。

「しかし、いつもは『一般人に捜査情報を漏らすなんて！』とか反対する成瀬が、今日はやけに大人しいな。脳みそまで筋肉でできていると思っていたが、少しはストレッチでもして思考に柔軟性が出てきたか？」

ずっと無言で立っていた成瀬が、いかつい顔をしかめた。

「もちろん情報を漏らすのは反対ですよ。けれど、いくら反対したところでどうせ桜井さんは捜査情報を提供して知恵を借りようとするでしょ」

「諦めたってわけか。まあ、ぐだぐだ言っているが、お前だってときどき私に情報を漏らして事件を解決してもらったりしているしな」

痛いところをつかれ、成瀬の喉から「うっ」というくぐもった呻きが漏れる。

「それに、桜井が情報を漏らしても、お前にはメリットしかないものな。情報漏洩が上層部にばれても、桜井の独断ということで責任を逃れられるし、私の知能を利用して事件を解決すれば、桜井とペアを組んでいる自分の手柄にもできる。ノーリスクハイリターンだ。反対しているのはポーズだけだろ」

図星だったのか目を背ける成瀬を見て、鷹央は「ふふっ」と含み笑いを漏らした。

「その腹黒タヌキとペアを組むうちに、お前の腹の中もけっこう黒くなってきたんじゃないか？　よかったな桜井。お仲間ができたぞ」

「いやいや、腹黒さではまだまだ負けませんよ。私のように内臓がイカ墨のような色になるには、成瀬君はやや真面目過ぎます」

謎のプライドをにじませながら桜井は口角を上げる。

「私に腹黒さで対抗できるとしたら、あなたぐらいですよ、鷹央先生」

「そりゃあ光栄だな」

鷹央と桜井は視線を合わせると、お互いにくぐもった忍び笑いを漏らしはじめた。

……怖いからやめてくれないかな。

「ハラグロって、ノドグロみたいでなんか美味しそうですよね。ノドグロのお刺身、炙り焼き、煮つけ……。お腹空いた……」

鴻ノ池がどうでもいいことをつぶやきはじめ、収拾がつかなくなってきたとき、気を取り直したように桜井が手を合わせた。パンっという音が部屋の空気を揺らす。

「話をもどしましょうか。さっき小鳥遊先生がおっしゃった通り、現在私と成瀬君は東村山署に設置された特別捜査本部で、連続殺人事件の捜査に当たっています。当初、私たちは捜査本部には加わっていなかったのですが、事件が大きくなってきたため、追加で私が所属している捜査一課の班と、田無署などの近隣署から人員が追加されました。そうして、私たちも数日前から捜査本部に参加しています」

「警視庁捜査一課の殺人班が二つも投入されるぐらいの大事件か」

興奮した様子で、鷹央は前のめりになる。

「最初の事件が起きたのは二ヶ月ほど前でした。久留米池公園に住みついていたホームレスが、深夜に公園の林で、若い男の遺体を発見しました。驚いてその場から逃げようとしたホームレスの男は、『怪物』と遭遇しました」

「怪物？」鴻ノ池が小首をかしげる。

「ホームレスの男がそう証言したんです。『怪物を見た。あいつが犯人だ！』ってね」

「具体的にはどんな怪物だったんだ？」

「痩せた大男で、皮膚は死人のように青ざめ、血走った眼球が飛び出ていたそうです。そしてその口には、二本の長い牙が生えていたということでした」

「なんか、吸血鬼みたいですね」

僕が何気なくつぶやくと、桜井と成瀬が同時に、もの言いたげな眼差しを向けてきた。その視線の圧力に、軽くのけぞってしまう。

「な、なんですか？　なにかおかしなこと言いました？」

「いえ、それについては後で説明します」

桜井は咳払い（せきばら）いをする。

「それから十八日後、荒川の河川敷で若い男性の遺体が見つかりました。さらにその十五日後には、今度は東京湾の沿岸でこれも若い男の遺体が発見されました。両方とも、久留米池公園の事件と同一犯の仕業だと考えられています」

「なぜそんなに距離が離れているのに、同一犯による犯行だと警察は判断したんだ？」

鷹央が訊ねると、桜井はコートのポケットから写真を取り出した。

「三つの遺体には様々な共通点が見られました。その一つがこれです」

桜井がローテーブルに置いた三枚の写真には、やけにリアルなコウモリのタトゥーが写っていた。耳が小さく口元は尖っていて、暗黒色の体に生えた銀白色の毛が特徴的だった。一見すると同じタトゥーのようだが、よくよく観察すると三つとも色の濃さや、コウモリが彫られている部位の筋肉の走行などに、わずかに差がある。

「三つの遺体には、首、胸元、脇腹に、それぞれこのタトゥーが彫られていました」

「同じタトゥーが彫られた遺体が、連続して見つかったということか。なるほど、たしかに同一犯による犯行と考えるのが妥当だな」

鷹央はひとりごつようにつぶやきながら、あごを撫でる。

「なんで同じタトゥーをしているんでしょう」鴻ノ池が小首をかしげた。

「海外のギャングなどでは、メンバーの証として同じタトゥーを彫ることがあります。そのようなものだと私たちは考えています」

「じゃあ、その組織のメンバーを誰かが殺して回っているってことですか？　なんかハリウッド映画みたいですね」

鴻ノ池の言うこともっともだった。この治安の良い日本で、ギャングのメンバーが次々に殺されていると言われても、どうにも現実感が湧いてこない。

「それで、被害者たちの身元は？　被害者の周囲に聞き込みをかければ、本当にギャングのメンバーだったのか分かるだろ」

鷹央の問いに、桜井は渋い表情になる。

「残念ながら、三人とも身元は判明していません」

「身元が判明していない？　そんなことがあり得るのか？　行方不明者届が出ている人物を照会すれば分かるだろ」

「調べましたが、該当するような人物は確認されませんでした。おそらく三人とも、行方不明者届を出してくれる家族が国内にいないんだと思います」

「……外国人か」

鷹央のつぶやきに、桜井は「はい」と重々しく頷いてさらに数枚の写真をコートのポケットから取り出す。それらには遺体が写っていた。遺体の顔は彫りが深く、肌の色はやや浅黒い。

「科捜研で遺伝子検査も行われましたが、おそらく東南アジア出身の外国人だと考えられています。ただ、三人に血縁関係はありませんでした」

「なるほどな。タトゥーに加えて被害者たちの出身地域まで一致しているなら、たしかに同一犯による犯行の可能性は高いな」

「さらに、この事件には他にも同一犯によるものと思われる特徴があります。遺体のそばに、水晶が落ちていたんです」

「水晶？　水晶って宝石の水晶か？」

「はい、そうです」

「宝石ってことは、高価なものなんですかぁ？」

興味津々といった様子で鴻ノ池が訊ねると、桜井は肩をすくめた。

「いえ、ストラップについた小さな水晶なんでそれほど高価なものではないようです。おそらく数百円で買えるものでしょう」

「なぁんだ、つまらない」鴻ノ池は後頭部で両手を組む。

「全ての遺体発見現場で水晶が見つかったということは重要な手がかりです。我々はそれが、犯人が故意に残したものだと考えています」

「シリアルキラーは自らの犯行だと誇示するために、現場にシンボルを残すことが少なくないからな。で、桜井、お前はなにをもったいつけているんだ？」

鷹央はすっと目を細めた。

「もったいつけている？　なんのことでしょうか？」

心から不思議そうに桜井は首を傾けた。

「これまでの情報から普通に考えれば、外国人ギャングが他の反社会組織と揉めて、メンバーが連続して殺されたという事件になる。ホームレスが目撃したという『怪物』は、敵対組織のヒットマンってとこかな。しかしそういう事件では、警察の人海戦術がものを言う。大量の捜査員を動員したうえで、警視庁の組織犯罪対策部が持っている外国人犯罪組織の情報と照らし合わせて、事件の真相にせまれるはずだ。わざわざ手土産を持ってここに来る理由がない。つまり……」

鷹央はあごを引く。

「この事件には単なる反社会組織の抗争とは考えられないような、不可思議な謎があるということだ」

「ご名答」桜井が両手を合わせた。「たしかにこの事件には、極めて不可解で、とてつもなく不気味な謎があるんです」

「それで、私の知恵を借りようというわけだな。で、なんなんだ。その極めて不可解で、とてつもなく不気味な謎ってやつは」

鷹央はソファーから腰を浮かすと、ローテーブルに両手をついて前のめりになる。大きな二重の目は爛々と輝き、口元は緩んで、いまにも涎を垂らしそうだった。

マタタビを前にした猫みたいになっているんだけど……。隣にいる華奢な体から放射される熱量に僕が思わず身を引いていると、桜井が僕を見た。

「さっき、小鳥遊先生がおっしゃったことが正解ですよ。今回の事件の犯人は、『吸血鬼』なんです」

「はい？　吸血鬼？」意味が分からず、僕は聞き返す。

「どういうことだ⁉　さっさと、即座に、可及的速やかに教えろ！」

鷹央の体がさらに前傾していく。

桜井はあごを引いて表情を引き締めると、ゆっくりと口を開く。押し殺した声が、〝本の樹〟が立ち並ぶ薄暗い部屋に響いた。

「発見された三人の遺体からは、ほぼ全ての血液が抜き取られていたんですよ」

2

「お疲れ様です」

桜井から『吸血鬼連続殺人事件』の話を聞いた翌日、金曜日の午後六時過ぎ、僕は屋上にある鷹央の〝家〟の玄関を開けた。

毎週の金曜日、僕は人手不足で常に猫の手も借りたい状況の救急部に、『レンタル猫の手』として貸し出され、一日中救急業務に携わることになっている。

ちなみに僕の『レンタル代』は実家が和菓子屋だという救急部の部長から、定期的な甘味の差し入れという形で支払われているらしい。さっき引継ぎをしているとき、これから夜勤の救急部長に「今朝、差し入れしておいたよ」と声をかけられた。

「おう、お疲れさん」「お疲れ様でーす」

パソコンの前に座っている鷹央と、そのそばに立っている鴻ノ池が、声を上げた。二人の手には、食べかけのどら焼きが握られている。

「あ、救急部長からの差し入れですか？　ちょうどよかった。今日の救急業務、めちゃ忙しかったんで、甘いものが食べたいなと思っていたんですよ」

僕はテーブルに置かれている『銘菓　どら焼き』と書かれている箱の蓋を開ける。

「……あの、空なんですけど」

僕が湿った視線を向けると、鷹央は露骨に視線をそらして口笛を吹きはじめた。ただ、不器用なせいでほとんど音が出ていない。

「ごまかさないで下さいよ。この箱の大きさからしたら、十個ぐらい入っていたでしょ。まさか、一人で全部食べたんですか？　半日でどら焼きを十個も⁉」

「失礼な！　全部じゃないぞ！　舞もけっこう食べたからな！」

上ずった声で鷹央が釈明する。

「何個食べた？」

　僕が視線を移動させると、鴻ノ池は首をすくめてピースサインを作った。

「一人で八個も食べているじゃないですか！　いつも言っているでしょ、糖分の取り過ぎに気を付けて下さいって。太りますよ。というか、本当に糖尿病になりますよ！」

「大丈夫だ。見ろ、この引き締まったスタイルを」

　鷹央は立ち上がると、腰に両手を当てて薄い胸を張った。

「引き締まっているんじゃなく、たんに引きこもっているから筋肉がなくて華奢なだけでしょ。けっこう体脂肪率は高いんじゃないですか？」

「し、失礼な！　こう見えてな、私は脱いだらすごいんだぞ。くびれとかしっかりあって、ボンキュッボンって感じで……」

「また見え見えのウソを」

　そんな古臭い擬音が飛び出るようなスタイルではないことだけは断言できる。

「なんでウソと言い切れるんだ！　お前、私の裸を見たことないだろ。量子論的に言うなら、私のスタイルが本当にボンキュッボンなのか否かは、『揺らいでいる』状態、『重ね合わせ』の状態だということだ。いわば、シュレディンガーのスタイル……」

　必死にごまかそうとしているのか、鷹央はわけの分からないことをまくし立てる。

「とりあえず食べかけでもいいから、その手に持っているどら焼き、僕に下さいよ。

救急部の勤務で疲れ果てて、糖分補給したいんです」

鷹央は慌ててまだ一口しか齧っていないどら焼きをまるごと口の中に押し込んだ。

「あ、こら」

「こへへもまは、ほふぁやひふぁほひいと……」

口からどら焼きが溢れそうになりながら、なにやらふがふが言い出した鷹央は、急に「うっ」と声を上げて拳で胸を叩きはじめる。どうやら、喉につまったらしい。

「ああ、口の中ぱんぱんにしたまま喋るから。とりあえず水分をとって下さい」

僕はパソコンのそばに置いてあったコーラ缶を手に取って鷹央に渡す。鷹央は宙を掻くように両手を伸ばしてコーラ缶をつかむと、その中身を一気にあおった。

「どら焼きにコーラって、本当に糖分取り過ぎです。当分の間はおやつ抜きです」

ため息まじりに僕が言うと、鷹央は「そんな……」と世界の終わりが来たかのような表情を晒す。

あとで、この部屋にストックされているクッキーや焼き菓子も回収しておこう。僕がそう心に決めていると、鷹央は僕を指さしながら、泣きそうな顔で鴻ノ池を見る。

「舞ぃー、小鳥のやつ、どら焼きを食べられたくらいでこんな非人道的な仕返しをしようとするんだぞ。ひどくないか？」

「ああ、鷹央先生、かわいそうに」鴻ノ池は鷹央を抱きしめる。

「断じて仕返しじゃありません。鷹央先生、面倒くさいとか言って、健康診断も受けてないでしょ。本当に糖尿病になりますよ。嫌ですよ、ペットボトル症候群でケトアシドーシスになって、心停止しかけた鷹央先生をここで蘇生するとか」

「いや、さすがにペットボトル症候群を起こしたりは……」

ぼそぼそと小声で言い訳をする鷹央を、僕は睥睨する。

「ほう……、ペットボトル症候群のリスクはないと診断するんですか？　どら焼き八個と、コーラ缶一本に含まれている糖分、どれくらいか分かりますよね？」

自他ともに認める超一流の診断医である鷹央にとって、『診断』という言葉は重い。案の定、適当にごまかすこともできず、うめくことしかできなくなる。

「大丈夫ですよ、鷹央先生。糖尿病予防にはなんと言っても運動です。今度、一緒にジム行きましょう！」

鴻ノ池が楽しげに言うと、鷹央は「ジムぅ？」と渋い表情を浮かべる。

「ああ、それはいい」僕はすかさず賛成する。「鷹央先生はあまりにも運動が足りません。少しは筋肉をつけるべきです。最低限の筋トレをしましょう。そうしたら、お菓子を食べてもいいですよ」

「……嫌だ。人類は科学を発達させ、どんな重量物も機械により容易に運べるようになった。なのに、どうしてわざわざ人力で鉄の重りを持ち上げる必要があるんだ」

「いや、ですから糖尿病予防に……」

僕が戸惑いながら言うと、鴻ノ池が満面に笑みをうかべる。

「鷹央先生、筋トレをすればスタイルも良くなるんですよ。しっかりと大胸筋とか大殿筋を鍛えれば、鷹央先生の目指すボンキュッボンも夢じゃないですよ」

「運動するくらいなら、『ストンっ』でいい。というか、脳だけになって培養液に浮いて、思考だけする存在になった方がましだ」

「そんなディストピア映画みたいな……」僕は呆れて突っ込んでしまう。

どれだけ運動を嫌っているんだよ、この人。

「まあジムの話は置いといて、続きをしましょうよ」鴻ノ池は両手を合わせた。

「続きって、二人してなにをしていたんだ？」

「タトゥーを調べていたんです」

昨日、桜井が持ってきた写真に写っていた、やけにリアルなコウモリのタトゥーが、脳裏に浮かび上がる。

「鷹央先生、本気で吸血鬼連続殺人事件を調べるつもりなんですか」

肩が落ちてしまう。できることなら鷹央を翻意させたかった。ただ、それがまず不可能なことも、この一年の付き合いで重々理解している。

ひとたび魅力的な『謎』を前にすると、鷹央は獰猛なハンターと化す。無限の好奇心を原動力に獲物である『謎』を執拗(しつよう)に追い続け、それに超人的な知能という牙を突き立て仕留めるまで、決してあきらめることはなかった。

「当たり前だろ！」

テンションが低かった鷹央が、唐突に嬉々とした声を張り上げた。

「この日本で、吸血鬼が出たのかもしれないんだぞ。そいつを捕まえたら、本物のヴァンパイアハンターになれるってことだ。どうだ、お前も興味出てきただろ」

「いや、べつに……」

「つまらない男だな。しかも、お菓子を禁止するなんていう、非人道的なことまで強いてくるし……。お菓子を食べたいなら、運動しろ？　なんでそんな究極の選択を迫られないといけないんだ」

自分が機嫌が悪かったことを思いだしたのか、鷹央はねちねちとした口調で愚痴をこぼしはじめる。面倒くさいことこのうえない。

「というわけで、鷹央先生の推理のために必要な情報を集めようということになりました。で、まずは被害者たちに彫られていたタトゥーについて調べていたんです」

鴻ノ池がパソコンのディスプレイを指さす。そこには無数のタトゥーの写真が映し出されていた。

「ＳＮＳとかにアップされているタトゥーの写真を検索していたんですよ」

「同じコウモリのタトゥーを、SNSにあげている人物がいないか探しているのか」

僕がつぶやくと、「ちがう」と鷹央が横目で睨んでくる。

「あのタトゥーは反社会組織のシンボルである可能性が高いんだぞ。そんなものを自慢げにSNSなんかにあげるわけがないだろ。下手すれば、粛清される。少しは頭を使えよ。そのデカい頭の中に詰まっているのは豆腐かなにかか？　使わないなら、湯豆腐にして食っちまうぞ」

普段より悪態に容赦がない。よほどお菓子禁止の恨みがつもっているようだ。

「じゃあ、どんなタトゥーを探しているんですか？」

僕が訊ねると、鷹央は「とりあえず、ハトだ。それが一番分かりやすいからな」とだけ答えて、再びそっぽを向いてしまった。

「ハト？」

意味が分からずまばたきをくり返す僕の視界に、コピー用紙に大きく描かれたハトのスケッチが飛び込んでくる。金属のような光沢までが生き生きと描かれていて、まるで写真のようにリアルだった。

「このハトのタトゥーを探せばいいんですって。この絵、鷹央先生が色鉛筆でさらさらーって五分くらいで描いたんですよ。凄くないですか」

「ああ、たしかに凄いな……」

素直な感想を告げると、マウスを操作しながらディスプレイを見つめていた鷹央の横顔に、わずかに得意げな表情が浮かんだ。

鷹央には一度見た光景を、まるで写真のように頭の中で再現して見返す、映像記憶という能力がある。おそらく、このリアルな絵もそれを応用して描いたものなのだろう。けど、こんな精密な絵が描けるなら……。

「こんな絵が描けるなら、字ももっときれいに書いてくれればいいのに……」

鷹央はかなりの悪筆で、ミミズがのたうち回っているかのような文字を書く。

「……字なんて読めればいいものだろ」

「たしかに読めればいいんですけど、鷹央先生の字は崩れすぎて、なんか古代文明の象形文字みたいな雰囲気を醸し出していて、いつも解読に一苦労……」

そこまで言ったところで、鷹央が椅子に敷いているクッションを僕に向かって投げてきた。油断していた僕は顔面でそれをキャッチすることになる。

「うっさいな。さっきから、どら焼きの一個や二個でぐちぐちと……」

「八個ですけど」

「うっさいうっさいうっさい！」

鷹央は椅子に体育座りをしだす。完全に不貞腐（ふてくさ）れてしまったようだ。

「あーあ、どうするんですか？　鷹央先生、拗（す）ねちゃいましたよ」

鴻ノ池が肘でわき腹をつついてくる。

「どうするって、お前がなんとかフォローしてくれよ。必殺技の『甘味献上』が使えないんだからさ」

僕が囁くと、鴻ノ池は肩をすくめた。

「嫌ですよ、痴話げんかの仲裁なんて。『夫婦げんかは犬も食わぬ』って言うでしょ」

僕が小声で「誰が夫婦だ！」と言うと、鴻ノ池はいたずらっぽい微笑を浮かべた。

「レディの機嫌を直すのも、男の甲斐性じゃないですか。『甘味献上』が使えなければ、他の手段を考えて下さいよ」

「他の手段って、具体的には？」

小声で訊ねる僕に、鴻ノ池は冷たい視線を送ってくる。

「だから、それを自分で考えるのが甲斐性なんですって。そんなんじゃ、モテませんよ。ちょっといい雰囲気になったナースとかに告白しても、『ごめんなさい、小鳥遊先生って、すごくいい人なんだけど、恋人って感じじゃないんですよね。いいお友達でいましょう』ってフラれちゃいますよ」

「ほっといてくれ！　マジでほっといて！」

数々のつらい記憶が走馬灯のように頭の中を流れていく。

「いや、そんな涙目にならなくても……。そんなに『いい人だけどごめんなさい』されているんですか？　よしよし、かわいそうに」

憐憫の表情を浮かべた鴻ノ池に頭を撫でられ、さらに落ち込みがひどくなっていく。

こいつ、慰めるふりをして、わざと谷底につき落とそうとしていないか？

「そんなかわいそうな小鳥先生に朗報です。なんとすぐそばに、とっても聡明で、可愛らしくて、小鳥先生と相性ピッタリのレディがいます。まさに非の打ちどころのない完璧な女性じゃないですか。と言うわけで、私がサポートしますからさっさとくっついちゃって下さいよ」

「……完璧なレディ？」

「完璧なレディ！」鴻ノ池はやけに力強く頷く。

「性格は？」

「全て完璧な人間なんてこの世に存在しません。ちょっと欠点がある方が、愛嬌があって可愛らしいじゃないですか。贅沢言わないで下さいよ」

鴻ノ池が開き直ると、鷹央が椅子ごとぐるりと回転してこちらを向いた。

「舞、ごちゃごちゃ下らない話をしているひまがあるなら、調査を手伝ってくれ」

「はーい、すみません」

片手を上げて元気よく返事をした鴻ノ池は、僕に「うまく仲直りして下さいよ」と目配せをしてから、鷹央に近づいていく。

たしかに空気が悪くなるのは避けたい。仕方がない、僕が折れるとしよう。

「あのー、鷹央先生。よければ僕も手伝いましょうか？」

おずおずと声をかけると、鷹央は横目で氷のように冷たい視線を送ってきた。

「……やりたきゃやればいいんじゃね？」

あ、ダメだ……。僕は頰を引きつらせながら、パソコンの画面に向き直った鷹央を見る。いまの機嫌レベルは『最悪』の一歩手前だ。このまま放っておくと、数日間ぐらい、まともに会話をしてくれなくなる。

おやつ禁止と、運動の強制を同時にしたのは失敗だったか……。

この状態の鷹央を、短時間で上機嫌に戻す方法はただ一つ、彼女の大好物である『アフタヌーン』の手作りケーキを複数、供物として捧げるしかない。

けれど、どら焼き八個を貪り喰った鷹央に、さらにケーキで糖分負荷を与えるのは、彼女の精神には良い影響を与えても、膵臓が悲鳴を上げかねない。

どうしたものかと悩みつつ、僕はとりあえず時間を稼ぐために、鷹央が描いたハトのタトゥーを検索してみる。一応、捜査に協力しているなら、ここから追い出されることはないだろう。

翼を大きく開いて、いまにも羽ばたき出しそうなほどの躍動感を漲らせているハトの絵を見て、僕は首を捻る。注意深く観察すると、そのハトはよく公園などで見かける土鳩(どばと)とは様々な点で異なる特徴を持っていた。

嘴(くちばし)は真っ黒で、頭頂部に特徴的な赤ブドウのような色が目立つ。体はかなりずんぐりとしていて、都市部に生息する土鳩より骨格がしっかりとしているように見える。

「うーん、これも普通の土鳩ですよね。そもそも、タトゥーって単色が多いから、この種類のハトを描いているかどうか見分けがつきにくいんですよね」

ディスプレイに映ったデフォルメされたハトのタトゥーを見ながら、鴻ノ池がつぶやく。やはり探しているのは、普段見かける土鳩とは別種のハトのようだ。

しかし、彫り師がよほど意識的に特徴を捉えて描かないと、どの種類のハトのタトゥーなのか判別は難しいだろう。そのせいで、優れた鷹央のネット検索能力でも、一日ではこの特徴的なハトのタトゥーを見つけることはできずにいるようだ。その苛立(いらだ)ちを紛らわせるために、大量のどら焼きをかっ喰らったのかもしれない。

ここで僕が探しているハトのタトゥーを見つけられたら、斜めになっている（というかほとんど倒れている）鷹央のご機嫌も、少しは回復するかも。

僕はスマートフォンを取り出し、検索サイトのホームページを開いたところで指の動きを止める。さて、なんと検索したものだろうか。『ハト』『タトゥー』『頭』『赤』などのキーワードの組み合わせは、当然鷹央がすでに調べつくしているだろう。

だとしたら……。僕は鷹央が描いたスケッチを凝視すると、検索タブに『タトゥー

ニワトリっぽい　ハト　変』と打ちこんでから『検索』のアイコンに触れる。スマートフォンの画面に大量のタトゥーの写真が表示される。その大部分は海外のコミカルなニワトリのタトゥーを取り上げたものだった。

そう簡単にはいかないか……。そう思いながら画面をスクロールしていた僕の指の動きが止まる。カートゥーン調のニワトリのタトゥーの中に、一つだけやけにリアルな二羽のハトが嘴を合わせてキスをしているタトゥーが混ざっていた。

枝にとまっているハトの下には『Love & Piece』の文字が書かれている。

たぶんラブアンドピースのつもりで、平和の象徴であるハトを描いたつもりなんだろう。けど……ピースのスペルが間違っているぞ。これじゃあ、『愛と破片』という意味になってしまい、なんとなく不吉な雰囲気が漂ってくるじゃないか。

胸の中で突っ込みを入れた僕は軽く頭を振った。重要なのはスペルミスじゃない。その二羽の骨格が一般的な土鳩よりもしっかりとしていて、さらに頭が赤ブドウ色に染まっていることだ。

「鷹央先生！」

僕が声を上げると、鷹央は椅子をくるりと回転させてこちらを見た。

「……お前、まだいたの？」

氷のように冷たい視線と態度に怯(ひる)みながらも、僕はスマートフォンを掲げる。

「あの、探していたタトゥーって、もしかしてこういうやつじゃないですか？」

鷹央のもともと大きな瞳が、目尻が裂けそうなほどに開かれた。椅子から飛び降りた鷹央は、襲いかかるような勢いで近づいてくる。思わず身を引いた僕の手からスマートフォンを奪い取った鷹央は、食い入るように画面を見つめる。

「あの……どうですか？　違いますか？」

僕がおずおずと訊ねると、鷹央の口角が上がっていった。

「これだ！　これが探していたタトゥーだ！　しかも、いつどこで彫ったかも書いてある。よく見つけた。さすがは私の部下だ」

さっきまでの不貞腐れた様子が嘘のように、楽しげにはしゃぐ鷹央にばんばんと背中を叩かれた僕は、安堵の息を漏らす。

ケーキの代わりに『魅力的な謎』というカロリーの不安がない大好物の手がかりを献上することで、機嫌を直してもらうことに成功したようだ。

「よし、小鳥、舞。明日の夜は暇か？　暇だよな？　捜査に付き合え」

「はーい、暇です。暇じゃなくても、鷹央先生と捜査に行くなら、予定全部キャンセルします。もちろん小鳥先生もですよね」

嬉々として返事をした鴻ノ池に声をかけられ、僕はふと我に返る。

いつの間にか連続殺人事件の捜査に、どっぷり首を突っ込む流れになってないか？

「いや、明日は……」

いま止めなければ、もう後は坂を転げ落ちるようにどっぷりと事件にかかわることになってしまうだろう。『謎』を前にして動き出した鷹央は、ブレーキが壊れた蒸気機関車のようなものだ。一度加速したら、全ての障害物をなぎ倒しても真相に向かって暴走していく。けれど……。

十数秒間、葛藤したあとに、僕はうなだれながら口を開いた。

「……暇です」

ここで拒否すれば、せっかく直った鷹央の機嫌がまた戻ってしまう。それに、たとえ僕が捜査への協力を拒んでも、もはや蒸気が吹き出し、車輪が回りはじめた鷹央を止めることなど不可能だ。鴻ノ池とともに、事件に突っ込んでいくだろう。

鴻ノ池は基本的に優秀な研修医で、普段は常識人ではあるのだが、鷹央と一緒に捜査に参加すると感化されるのか、暴走機関車を止めるどころか、積極的に釜に石炭をぶち込んでさらに加速させようとするきらいがある。途中で線路から脱線してどこかに飛んで行ってしまわないようにするためにも、僕というブレーキが必要なのだ。

「おお、そうかそうか。小鳥も暇か。それじゃあ、明日の夕方にここに集合な」

「わー、また事件の捜査、楽しみです。しかも、吸血鬼の連続殺人とかすごい」

はしゃいでいる二人を尻目に重いため息をついていると、鷹央が声をかけてくる。

「しかし、珍しくお手柄だったな。よく見つけた」

「はあ、どうもありがとうございます。……『珍しく』は余計ですけどね」

けっこういつも役に立っていると思うけど……。

内心で愚痴をこぼす僕に、鷹央はいたずらっぽい笑みを向けてきた。

「ついさっきまで、お前のボーナス査定、ゼロにしようと思っていたよ」

「……労基に訴えますよ」

3

「うわあ、こんな時間なのに人がいっぱい。しかも、なんか妖しい雰囲気。さすがはアジア最大の歓楽街」

多くの人が行き交う大通りで、鴻ノ池が両手を広げてくるくると回る。人混みが苦手な鷹央は、それとは対照的にどこか具合が悪そうな様子で、僕の隣を歩いていた。

翌日の土曜、午後十時過ぎ、僕たちは新宿(しんじゅく)歌舞伎町(かぶきちょう)にやってきていた。

昨日、僕が見つけたタトゥーを彫った人物が、この歌舞伎町の外れのタトゥースタジオにいるらしい。

「鷹央先生、大丈夫ですか？」

「……大丈夫じゃない。……気持ち悪い」鷹央は蒼白い顔で答える。

もともと人酔いしやすいうえ、聴覚過敏の鷹央にとって、酒の入った人々が大きな声で会話し、さらにキャッチについていかないようにスピーカーから警察のアナウンスが絶えず流れているこの空間にいることは、かなりの苦痛なのだろう。

病院で集まったあと、鷹央と鴻ノ池を乗せて愛車のCX－8で歌舞伎町まで来たのだが、大通り沿いではなく、もっと人気のない駐車場に停めるべきだった。

「ちょっと人の少ない通りに行きましょう」

小さな背中に手を当てながら、僕は鷹央をやや細い道へと連れていく。少し遠回りになるが、大通りのど真ん中で嘔吐でもされたら大変だ。

「大丈夫ですか、鷹央先生」

人通りの少ない薄暗い道で足を止める。鷹央は「うん……」と力なく答えた。

鷹央の小さな背中をさすっていると、背後から足音が聞こえてくる。

「ようやく見つけた。急にいなくなったから、びっくりしたじゃないですか」

さっきまで陽気に踊っていた鴻ノ池が、路地の入り口で腰に手を当てていた。

「あ、悪い。お前のこと完全に忘れてた」

「忘れてた⁉」鴻ノ池は目を剝く。「忘れてたって、なんですか？　こんなか弱い乙女を、魑魅魍魎が跋扈する歌舞伎町のど真ん中に置き去りにするなんて、ひどくないですか？　なにかあったらどうするんですか？」

「どこにか弱い乙女がいるんだよ。お前、僕を何度も投げ飛ばしているだろ」

鴻ノ池は達人級の合気道家だ。身長百八十センチ、体重七十五キロを超え、大学時代の六年間、空手部で稽古に明け暮れた僕と同レベルの戦闘能力を持っている。その辺の男など、相手にもならないだろう。

「あれ、鷹央先生、どうしたんですか？」

ようやく鷹央の顔色に気づいた鴻ノ池が、心配そうに訊ねる。

「人酔いだよ。人の生気を吸ってテンションが上がるお前と違って、鷹央先生に歌舞伎町の熱気はきつすぎたらしい」

「生気を吸ってって、人をモンスターみたいに……」

不満顔で近づいてきた鴻ノ池は、僕に倣って鷹央の背中を撫ではじめる。

「すみません、鷹央先生。急に騒がしいところに連れてきて。今後は、もう少しゆっくり慣らしていきましょう」

「慣らしていく？」弱々しくつぶやきながら、鷹央が顔を上げた。

「そうです。もう少し人口密度が低いところで、定期的に私とデートしましょうよ。そうですね、やっぱりジムに行くのはどうです？　筋トレしなくてもいいから、一緒にヨガをやるとか」

「ヨガは無理だろ。鷹央先生、めっちゃ体硬いぞ」

足腰の柔軟性が低すぎ、床に落ちた本を拾うのにも四苦八苦しているほどだ。

「だからこそ、ヨガで柔軟性を高めるんですよ。あ、それじゃあジムのサウナに入るのはどうですか？　体が温まれば筋肉もほぐれますよ。思い切り熱いサウナに入ったあと、冷水に飛び込むんです。すっごく気持ちいいですよ」

「……そんな、日本刀の焼き入れみたいなこと絶対やだ。そんなことしたら、ショックで心臓が止まる」

鷹央は力なく拒絶する。

まあ、鷹央先生がサウナなんて入ったら、あまりの熱さで塩をかけられたナメクジみたいになるだろうな。

そんなことを考えながら、僕は鷹央の背中をさすり続けたのだった。


人気の少ない路地で十数分、休憩をすることで、ようやく鷹央の人酔いも治まり、僕たちは再び目的地のタトゥースタジオに向かって歩きはじめた。

「ところで、連続殺人事件の被害者たちに彫られていたタトゥーが、いま向かっているスタジオで入れられたものだって、鷹央先生は考えているんですか？」

僕が訊ねると、だいぶ顔色がよくなっている鷹央は、「ああ、そうだ」と頷いた。

「なんで、そんなことが分かるんです？　たしかに被害者のタトゥーと昨日ネットで見つけた赤い頭をしたハトのタトゥー、両方リアルで似たタッチでしたけど、同じ人物が彫ったものって断定できるほどの共通点ってなかったと思うんですよ」

「共通点ならあったぞ。同一人物の作品だと強く示唆する、特徴的な共通点がな」

「しっかり二つのタトゥーを見比べたんですけど、観察力不足ですかね」

僕がこめかみを掻くと、鷹央は「いや、違うな」とかぶりを振った。

「たしかにお前はまだまだ観察力が足りない。ときどき、目ん玉の代わりにビー玉でも詰まっているんじゃないかと思うくらいだ」

「そこまで言わないでも……」

体調が戻ってきたと思ったら、毒舌まで戻ってきた。やっぱり、もう少し人通りがある道を進んだ方がよかったかもしれない。

「ただし」鷹央は顔の横で左手の人差し指を立てる。「コウモリとハト、二つのタトゥーの『共通点』が見つからなかったのは、観察力不足ではなく知識不足だ」

「知識不足？　なにか医学にかかわる知識が足りていないってことですか？」

「いや、医学とはまったく関係ない分野の知識だな。一流になるためには、森羅万象、ありとあらゆることに対する知識を可能な限り脳に蓄積しておくことが重要なんだ。なにが手がかりになるか分からないからな」

「森羅万象って、一流の診断医になるために、そこまでの知識が必要なんですか？」

僕が訊ねると、鷹央は不思議そうに目をしばたたいた。

「診断医？　いや、違うぞ。一流の探偵になるための条件だ」

「僕は内科医になるために統括診断部で勉強しているんです！　探偵になるつもりなんてありません！」

頭痛をおぼえてこめかみを押さえたとき、さっきまで隣を歩いていた鴻ノ池の姿が消えていることに気づく。振り返った僕の頭痛がさらに強くなる。三十メートルほど後方で、鴻ノ池が光沢のある黒スーツを着た金髪の男と話をしていた。間違いなくホストクラブの呼び込みだ。なにをキャッチにつかまっているんだ、あいつは。

「だからお姉さん、うちなら間違いないですって。どんなタイプでも、いい男が揃っていますよ。しかも、三千円ぽっきり。ちょっと飲んでって下さいよ」

小走りで近づいていくと、キャッチの男がベタな呼び込みをしていた。間違いなくぼったくりの店だろう。ついていったら、法外な金額を請求されるに決まっている。

「なにやっているんだよ、鴻ノ池。行くぞ」

僕が促すと、鴻ノ池は「ちょっと待って下さい」と笑顔を浮かべ、男に向き直る。

「本当にどんなタイプでもいるんですかぁ」

「もちろんっスよ。お姉さん、どんなタイプが好みですか」

「うーん、そうだなぁ。いろいろ好きだけど、しいて言えば広背筋かな？」

「こうはいきん？」男はまばたきをくり返した。

「そう、三角筋とか腹斜筋とか前鋸筋もいいけど、やっぱり男は背中で語らないと。こう、正面から見ても羽が広がっているように見える大きな広背筋が最高」

筋肉フェチの鴻ノ池は、うっとりとした口調でまくし立てる。

「だから最低でも、懸垂十五回はできないと。まあ、大胸筋も嫌いじゃないから、ベンチプレス百二十キロぐらい挙げられる人でも妥協できるかな。そういう『タイプ』はいます？　それなら、はべらして飲んでみたいかも」

「いや、それは……」

やばい奴に声をかけたことに気づいたのか、逃げ腰になっている男の肘を、遅れてついてきた鷹央がつつく。

「なあ、なんで私には声をかけてこないんだ？」

「え、声をって……」男は戸惑い顔になる。

「まあ、私はせっかくはべらせるならむさい男なんかじゃなく、綺麗な姉ちゃんたちの方がいいから、ホストクラブなんかに行く気はさらさらないんだが、それでも舞にだけ声をかけて私を無視したのはなんでなんだ？」

「いや、いくらなんでも中学生に飲ませるわけには……」

「中学生⁉」鷹央の声が跳ね上がる。

「私のどこが中学生に見えるって言うんだ！」

「いや、どこからどう見ても……」

「ふざけんな。私はれっきとした二十代のレディだ。酒だって飲める。なんならお前の店に行って、置いてある酒、全部飲み干してやろうか」

未成年によく勘違いされる童顔の鷹央だが、見た目に反してとんでもない酒豪で、『ざる』を通り越して、ほとんど『穴の開いた升』だ。放っておくと、本当にホストクラブにあるシャンパンを片っ端から飲みかねない。

「そんなことしに来たわけじゃないでしょ。さっさと目的の場所に行きますよ」

まだギャーギャー騒いでいる鷹央を羽交い絞めにして引きずりはじめる。キャッチの男は、その隙を見てそそくさと逃げていった。正しい判断だろう。

「あっ、話は終わってないぞ。こら待て！　おい、小鳥、放せ。放さないと、セクハラでボーナス査定下げるぞ」

「ボーナスを人質に脅すのやめて下さいよ。本当に労基にチクりますよ」

キャッチの男の姿が見えなくなったのを確認してから、僕は鷹央を解放した。

「ほら、あんな男、放っておいて。さっさとタトゥースタジオに行きましょうよ。吸血鬼連続殺人事件を調べに来たんでしょ。全身の血を抜かれた遺体が三つも出たなんて大事件ですよ。その手がかりがすぐそこにあるんじゃないですか？」

僕が促すと、男が消えていった方向を睨んでいた鷹央の顔がぱっと明るくなる。

「そうだそうだ。吸血鬼連続殺人事件だ。本物の吸血鬼がこの東京にいるかもしれないっていうのに、あんな小物の相手している場合じゃないよな」

鷹央はその場でくるりと踵を返すと、街灯の薄い明かりに照らされたさびしい道をスキップするような足取りで歩いていく。

「ところで、吸血鬼がいるかもしれないって、本気で思っているんですか？」

鷹央に追いつきつつ、なんとなしに放った言葉だったが、口に出してすぐに後悔する。そっと横目で隣を確認すると、予想通り鷹央が険しい眼差しを向けてきていた。

「いつも言っているだろ。どれだけあり得なそうなことでも、全ての可能性を含めて検討をくり返していくことこそ、真実に繋がる唯一の道だって。『常識』なんて鎖にがんじがらめになっていたら、正しい『診断』をくだすことなどできないぞ。シャーロック・ホームズも言っていただろ……」

「『全ての不可能を消去して、最後に残ったものが如何に奇妙な事であっても、それが真実となる』ですよね」

耳にタコができるほどに聞かされているので、もはや覚えてしまった。鷹央は「そのとおりだ」と鷹揚に頷く。

「けど、現代の東京にドラキュラが現われて、人を襲っているかもしれないって、なんかホラー映画みたいですよね」

鴻ノ池がつぶやくと、鷹央が顔の横で人差し指を立てた。

「日本ではドラキュラが吸血鬼を表す言葉として浸透しているところがあるが、本来それは正しくない。ドラキュラは一八九七年にアイルランド人の作家、ブラム・ストーカーが書いた恐怖小説『吸血鬼ドラキュラ』に登場する、吸血鬼の名前だ。吸血鬼を表す英語は『ヴァンパイア』が正しい。ドラキュラのモデルは、十五世紀、現在のルーマニアの南部に当たるワラキア公国の君主であったブラド三世だ。ブラド三世は多くの民や反逆を企てた貴族を串刺しにして処刑したため『串刺し公』と呼ばれているが、存命時は『ドラゴンの息子』という意味の『ドラキュラ公』の通称で呼ばれることが多かったようだ。これは父であるブラド二世の通称がドラクル、つまりは『ドラゴン公』だったことに由来し……」

ああ、はじまった……。『吸血鬼』についての情報を気持ちよさそうに語りだした鷹央を見て、僕は頬を引きつらせる。その小さな頭に、森羅万象ありとあらゆる知識を詰め込んでいる鷹央は、常にそれをアウトプットする機会を待っている。だからなにか小さなきっかけがあると、ダムに穿った小さな穴から水が染み出し、やがて決壊するかのように、濁流のごとく知識を吐き出し続けるのだ。

「ただ、『吸血鬼ドラキュラ』がトランシルヴァニアの古い伝説に着想を得ていることからも分かるが、人の血を吸う怪物の伝承はヨーロッパを中心に古来から存在する。特にバルカン半島のスラブ人の地域でそれは多く、スラブの人々は四世紀ごろには吸血鬼の存在を信じていた。そしてビクトリア朝時代ごろから、高い知性を持ち、コウモリ・オオカミ・霧などに変身でき、さらに不老不死という、現在、一般的に考えられている高位の存在として吸血鬼は描かれるようになってくる。『にんにくを嫌う』『鏡に映らない』『心臓に杭を打つことで退治できる』などは、もともとキリスト教が広がる以前にヨーロッパで信じられていた魔物の特徴であり、それが吸血鬼伝説に融合していったと考えられている。ちなみに、『吸血鬼 ドラキュラ』に登場するヴァン・ヘルシング教授は吸血鬼ハンターの代名詞のようになっているが、原典では精神医学を専門とする老学者で……」

滔々と語られる『吸血鬼』にかかわる情報の奔流を聞き流しつつ歩き続けること十数分、僕たちはようやく目的地へとやってきた。

「鷹央先生、つきましたよ」

僕が声をかけると、鷹央はぴたりと喋るのをやめ、にっと口角を上げた。

「やっと着いたか。まったく、ここにくるだけでやけに時間がかかったな」

誰のせいだと思っているんですか。喉元までせりあがってきたその言葉をぐっと飲み込んだ僕は、目の前にある雑居ビルの地下へと降りていく階段を見る。長い間交換をしていないのか、蛍光灯がちかちかと点滅している。かなり急な階段の先は薄暗く、はっきりと見通すことができない。

「なんか……、ここに吸血鬼が住んでいるような雰囲気ですね……」

　階段を覗き込みつつ、鴻ノ池がわずかに顔を引きつらせながらつぶやいた。

「だとしたら凄いな！　楽しみだ。よし、それじゃあさっそく行くぞ！」

　意気揚々と鷹央が階段を下っていく。

「ちょっと待って下さいよ。なんで吸血鬼に会うのが楽しみなんですか？」

　僕は鴻ノ池とともに、慌てて後を追いながら鷹央に声をかける。

「伝説の怪物に会えるかもしれないんだから、楽しみだろ。お前、なに怯えているんだよ。吸血鬼なんているわけないって思っているんじゃなかったのか」

「いえ、そりゃあコウモリに変身したり、太陽の光を浴びたら灰になるような怪物が存在しているとは思いませんけど、三人の人間が血を抜かれて殺されたのは間違いないじゃないですか。危険だからもっと警戒するべきと言うか……」

「大丈夫だ！」鷹央は自信に満ちた声で言う。

「どうしてそう言い切れるんですか？」

　この人が言うんだから、きっと根拠があるのだろう。

「私には二人も優秀なボディガードが付いている。たとえ、相手が伝説の怪物でもお前たちが戦っている間に、私は脱出することができるはずだ」

「それで『大丈夫』なの、鷹央先生だけじゃないですか！」

僕と鴻ノ池の声がきれいに重なった。

「まあ、細かいことを気にするな。『虎穴にいらずんば虎児を得ず』って言うだろ」

鷹央はすたすたと階段を下っていく。

「囮（おとり）として虎に差し出される身にもなって下さいよ……」

文句が口をつくが、鷹央を一人でこんな怪しい場所に行かせるわけにもいかない。

僕と鴻ノ池は重い足取りで階段を下って行った。

地下につくと蛍光灯の漂白された明かりに、汚れの目立つ古びた赤絨毯（じゅうたん）が敷かれた長い廊下が浮かび上がっていた。左右にはスナックと思われる店名が記されている扉が並んでいるが、それらはガラスが割れ、落書きまでされていて、閉店してからかなりの時間が経過しているのは明らかだった。

「なんか、本格的に不気味になってきたんですけど……」

鴻ノ池は落ち着きなく廊下を見回す。普段は怖いもの知らずといった様子の鴻ノ池だが、実は怪談やホラー映画が苦手だ。かつて『魔弾の射手事件』で廃病院の捜索をした際、『幽霊』を目撃してパニックになって逃げだしていた。

「赤い絨毯の長い廊下を見ると、『シャイニング』を思い出すな」

ぼそりと僕がひとりごつと、鷹央が「『シャイニング』いいよな！」と声を上げる。

「原作者であるスティーブン・キングは、監督のスタンリー・キューブリックがストーリーを大きく変化させたことに激怒し、批判をくり返したが、それとは裏腹に世間の評価は極めて高い作品だ。その一件については、スティーブン・スピルバーグの映画である『レディ・プレイヤー1』でも、二つ目の鍵を見つけるための重要な手がかりとして取り上げられ……」

「鷹央先生、ストップストップ」

ようやく『吸血鬼』についての知識の洪水が止まったら、今度は『シャイニング』についての知識のダムに穴が開いたようだ。このままでは、また決壊してしまう。

「そんなことより、いまは吸血鬼連続殺人事件の捜査に集中しないと」

鷹央は、「それもそうだな」と廊下を進んでいく。その後を追おうとした僕の背中に、手が添えられる。振り返ると、鴻ノ池が僕に隠れるようにして背中を押していた。

「……なにやっているんだよ？」

「いえ、こういいときは研修医として、先輩医師に先を譲ろうかと思いまして」

「先を譲るっていうか、お前、僕を盾にしようとしているだろ」

「いえいえ、滅相もございませぬ」

混乱しているのか、鴻ノ池は時代劇の武士のような口調で言う。

「お前、そんなに怖いのか？」

いつもおもちゃにされている意趣返しとばかりに、からかうように言うと、鴻ノ池は「当然じゃないですか！」と声を上ずらせた。

「こんな廃墟みたいなビルの地下、怖がらない方がどうかしていますよ。ほら、その辺りの扉から、いまにもなんか出てきそうじゃないですか。ここはか弱い乙女を守る甲斐性を見せて下さいよ」

「か弱い乙女、見当たらないんだが」

「いいから、前歩いて下さい。なにか出て来たら、小鳥先生を生贄にしてすぐに逃げ出しますから！」

悲鳴じみた声で鴻ノ池はぐいぐいと背中を押してくる。

開き直りやがった……。呆れつつも、仕方がないので僕は警戒しつつ薄暗い廊下を進んでいく。

「なあ、鴻ノ池は『シャイニング』を見たことあるのか？」

「さっき言ってた映画ですか？　……怖いやつですか？」

「いやいや、豪華なホテルで家族が過ごすハートウォーミングな映画だよ。こういう廊下の先に、可愛い双子の女の子が立っているシーンが有名なんだ」

そのすぐ後に起きる惨劇もね。

「へー、そうなんだ。なら、安心ですね。明日にでも見てみようかな」

「ぜひ見て、感想を聞かせてくれ」

内心でほくそ笑みながら言うと、僕は廊下の突き当りにある扉の前に立っている鷹央に追いつく。薄茶色の革張りの扉には、やけに前衛的な『Tattoo studio Ogasawara』の文字が彫られていた。

「小笠原(おがさわら)さんっていう人がやってるタトゥースタジオなんですね」

僕の後ろから顔を覗かせた鴻ノ池がつぶやくと、何故か鷹央は、ふふっと忍び笑いを漏らして扉に手をかけた。抗議をするかのような軋(きし)みを上げながら開いた扉の向こう側には、薄暗い部屋が広がっていた。十畳ぐらいの空間の四方の壁には、無数の写真が貼られている。それらは全て、様々なタトゥーを撮影したものだった。

部屋の奥にはベッドが置かれている。おそらく、客が施術を受けるときに横たわるものだろう。僕の予想を裏付けるように、ベッドのそばには大型のタトゥーマシンが置かれており、ステンレス製の器具台には施術に用いられると思われるニードルをはじめ、様々な器具や染料が置かれていた。

「な、なんかヤバい手術とかしそうな雰囲気なんですけど……」

鴻ノ池がかすれ声でつぶやく。

「こういう手術室が出てくるホラー映画とか知っているけど、興味あるか?」

「ありません！」

鴻ノ池が悲鳴じみた声を上げた瞬間、奥に引かれている白いカーテンの向こう側から、「うるせえなぁ」という気怠げな声が聞こえてきた。カーテンが開く、その奥に広がっていた光景を見て喉の奥から「うっ」とうめき声が漏れてしまう。

上半身裸のスキンヘッドの男が、リクライニングチェアーに腰かけていた。頭、顔、胸、腹、肩、腕、手……。男の肌が露出している部分は、まるで元の皮膚を見せることを恐れているかのように、色鮮やかなタトゥーで覆われていた。

「きゅ、吸血鬼⁉」

鴻ノ池が悲鳴じみた声を上げながら、僕の背中をぐいぐいと押す。

「ああ、なに言ってんだよ？」

有刺鉄線のタトゥーが彫られた頭を撫でながら、男は緩慢に立ち上がった。

「あんたら、飛び込みの客か？　あと、二時間は予約が入ってねえから、簡単なやつならいまからでも彫ってやれるぜ」

僕はようやくタトゥー男が、このスタジオの彫り師であることに気づく。

「全身すごいタトゥーだな。まるで『耳なし芳一』みたいだ」

動じた様子もなく男に近づいた鷹央は、好奇心でキラキラと輝く目で男の全身を観察する。有名な怪談の登場人物に例えられた男は、周囲にクモの巣のタトゥーが彫られている唇をゆがめた。

「おいおい、見世物じゃねえんだぞ」

「ケチケチするなって。減るものでもないし。しかし、素晴らしい技術だな。特に腹部や左腕に描かれている、シダ植物や蝶のタトゥーが写実的で素晴らしい。まるで、本当に生きているかのようだ」

「ああ、そこは俺が自分で彫ったんだ。本当なら全身、自分のタトゥーで埋めたいところだったけど、さすがに顔面とか背中は自分じゃ彫れないからな」

自らの芸術作品を褒められた彫り師は、嬉しそうに目を細める。

「あの人、被害者たちの生き血を啜った『吸血鬼』じゃないんですかね」

僕の背中に隠れている鴻ノ池が、警戒心で飽和した声でつぶやいた。

「たんなるタトゥーマニアの彫り師みたいだな。そもそも、あの男が現場で目撃された『吸血鬼』なら、あまりにも特徴的ですぐに捕まるだろ。顔面のど真ん中にクモが描かれているんだぞ」

「ってことは、普通の人間なんですね。よく見ると腕も細いし、肋骨が浮き出るくらいがりがりだし、もし襲ってきても簡単に制圧できますね。怖がって損した」

相手がオカルト的な存在でないことを確信した鴻ノ池は、これまでの怯えようが嘘のようにリラックスすると、部屋の壁に飾られているタトゥーの写真を眺めはじめる。

「わ、この薔薇のワンポイントタトゥーかっこいいなぁ」

深紅の薔薇が描かれた写真を眺めながら鴻ノ池は声を上げた。

「お、お姉さん、良いセンスしているな。それは自信の一作だよ。薔薇の花弁の周りに、鋭い棘があるツルを這わせているのが隠し味だ。どれだけ艶やかで綺麗でも、うかつに手を出すと怪我をするって意味さ。どうだい、お姉さん。気に入ったなら彫ってやろうか。あんたならきっと似合うぜ」

不気味な外見に似合わず、なかなか商売上手な男だ。鴻ノ池も「えー、どうしようかなぁ」とまんざらでもない様子になっていたりする。

「あー、けど、やっぱりパスします。私、健康ランドとか好きなんですよね。タトゥーがあると、入れないところ多いんで。それに、いつか鷹央先生とサウナに入るって夢がありますし」

彫り師は「なんだよ」と一転して不機嫌になる。

「誰も彫る気がないのかよ。冷やかしなら帰ってくれ」

彫り師が虫でも追い払うように手を振ると、鷹央は「うーん」とあごに手を当てる。

「せっかく来たのに、このまま帰るわけにはいかないな。そうだ小鳥、お前、タトゥーを彫ってみないか？」

「僕が⁉」予想外の展開に、声が大きくなってしまう。

「そうだ、こんなのどうだ？」

鷹央は歌うように言うと、デスクに置かれていた鉛筆を手に取り、スケッチブックにさらさらと何やら描いていく。

「おいおい、俺の商売道具を勝手に使わないでくれよ。っていうかあんた、めっちゃ絵がうまいな」

彫り師が驚きの声を上げるのを聞いて、僕と鴻ノ池は高速で左手を動かしている鷹央に近づいていく。

「これって……」

肩越しにスケッチブックを覗き込んだ僕の顔が引きつる。そこには写真と見紛うほどリアルに、翼を雄々しく広げた鷹と、鉤爪がついた脚で掴まれている小さなメジロのような鳥が描かれていた。小鳥の口から出ている吹き出しには『ＨＥＬＰ！』と書かれている。写実的な絵と、漫画調の吹き出しがやけにアンバランスだった。

「お前にふさわしいタトゥーだろ。鷹がいなくて『小鳥が遊べる』から、『小鳥遊』と読む。けれど、私という『鷹』がいる統括診断部では遊べないから、『小鳥』になる」

「絶対、彫りませんからね」

「えー、なんでだよ。せっかくお前のために頑張って描いてやったのに」

「僕のためじゃなく、僕をからかうためでしょ。そもそも仕事に支障がでる可能性がありますタトゥーを入れたいなら、鷹央先生がやって下さい」

「いやだ。なんでわざわざ痛い思いして体に落書きしないといけないんだよ」

「いい加減にしてくれ」彫り師の男が苛立たしげに吐き捨てた。「誰も彫らないなら、さっさと帰ってくれ。俺のタトゥーを入れたいってやつはいくらでもいるんだ」

「ああ、お前が腕がいい彫り師であることは知っている。これ、お前の作品だろ」

鷹央はポケットから、昨日僕が見つけた頭部が赤いハトのタトゥーが写った写真を取り出した。

「ああ、そうだ。俺の自信作だよ。それがどうかしたのかよ」

彫り師の声に、かすかに警戒の色が滲んだ。

「いやあ、本当にリアルなハトだ。けれどこのハトは、頭が赤い、骨格ががっしりしている、嘴が真っ黒など、街中に一般的にいる土鳩とは異なる特徴を持っている。これは明らかに意図して彫られたものだ。だろ？」

「……ああ、そうだ」

「タトゥースタジオってやつは、客が望めばどんなタトゥーでも彫ってくれるのか？」

突然、話題を変えた鷹央に、彫り師はタトゥーだらけの顔に困惑を浮かべながら、

「まあ、彫れるものならな」と答える。

「なら、これはどうだ？」

　鷹央はポケットからもう一枚の写真を取り出し、彫り師の顔の前に掲げる。

『吸血鬼連続殺人事件』の被害者たちに彫られていた、コウモリのタトゥーの写真。

「な、なんで……⁉」彫り師の目が大きく見開かれた。

「どうした、急に固まって？　このタトゥーに見覚えがあるのか？　お前が彫ったと知られたらまずいものなのか？」

「そんなタトゥー知らねえよ！　なんで、そのコウモリのタトゥーを彫ったのが俺だって言い切れるんだよ！」

　彫り師が声を張り上げる。それは、僕も気になっていることだった。鷹央はあの赤い頭をしたハトのタトゥーと、被害者たちのコウモリのタトゥーが同じタトゥーアーティストの作品だと確信があるようだが、それがなぜなのか分からなかった。

「お前、出身はどこだ？」

　鷹央はいやらしい笑みを浮かべながら、彫り師を睨め上げる。

「出身って、それがなんの関係があるんだよ⁉」

「答えたくないならいい。私が当ててやろう。小笠原諸島だろう」

　彫り師の目が大きくなる。どうやら図星らしい。

「あっ。『Tattoo studio Ogasawara』の小笠原って、苗字じゃなくて出身地のことなんですね！」

　鴻ノ池の感想に、鷹央は「その通りだ」と頷いた。

「ファンキーな外見とは裏腹に、この男は愛の深い男なんだよ。故郷と……そこに広がる大自然へのな」

　タトゥー塗れの彫り師の顔が明らかに歪むのを尻目に、鴻ノ池は「大自然？」と小首をかしげる。鷹央はハトのタトゥーが写った写真を高々と掲げた。

「この赤い頭をしたハトは、アカガシラカラスバトという種類で、小笠原諸島にのみ生息する固有種だ。かつては多く生息していたが、島外から持ち込まれた捕食動物に襲われるなどして数を減らし、現在はわずか数十羽程度しか残っていない希少な絶滅危惧種だ。また、ハトの下に描かれている『Love & Piece』という文字に添えられている小さな花は、ムニンネズミモチというこちらも小笠原諸島の固有種の植物だ」

　鷹央は「ちなみにピースの綴りが間違っているぞ」と写真を指さした。

「それがどうしたって言うんだよ！」

「いや、この綴りだと『一かけら』って意味になるから、意味が分からなく……」

「そうじゃねえ！」彫り師が声を張り上げる。「俺はたしかに小笠原諸島の出身だし、故郷に誇りを持っている。それが、コウモリのタトゥーとどう関係するんだよ！」

「ったく、往生際が悪い。みなまで言わせるつもりかよ」

鷹央は面倒くさそうに鼻を鳴らすと、コウモリのタトゥーの写真をひらひらと振る。

「アカガシラカラスバトやムニンネズミモチと同じように、このコウモリのタトゥーにも、その種の特徴が正確に描かれている。短い耳の先端が尖っていて、尻尾がない。そして何よりも特徴的なのが、黒い体にわずかに混じっている銀色の毛だ。そこまで正確に描写してくれたおかげで、すぐに種類が分かった」

「珍しいコウモリなんですか？」

鴻ノ池が訊ねると、鷹央は大きくうなずいた。

「ああ、これも絶滅危惧種に指定されている国の天然記念物だ。小笠原諸島にのみ生息する固有種、オガサワラオオコウモリだ」

「オガサワラオオコウモリ……」

鷹央の告げた名を僕はくり返す。見ると、彫り師の体が細かく震えていた。

「お前は小笠原の動植物のリアルで美しいタトゥーを彫ることに、強いこだわりを持っている。だからこそ、オガサワラオオコウモリだと分かるよう、意図的に体幹に銀色の毛を多めに描いたんだ。そうだろ？」

鷹央に詰め寄られた彫り師は、息を乱しながら後ずさっていく。

「だ、だからって、そのオガサワラオオコウモリのタトゥーを俺が彫ったって断定はできないはずだ。違うか？」

「たしかにその通りだな。いま挙げた内容はあくまで状況証拠に過ぎない。国家から捜査権を付与された警察と違い、私たちにはいくら疑わしくても強引にお前から情報を聞き出すことは難しい」

「ならさっさと消えてくれ！　そんなコウモリのタトゥー、俺にはなんの関係もない」

「このスタジオの主から退去するように要請されたら、従うしかないな。けど、私たちを追い出して本当にいいのか？」

「……どういう意味だよ？」彫り師の男はいぶかしげに眉根を寄せた。

「そのままの意味だよ。たしかに一般人である私たちには、お前の意に反して話を聞き出す資格はない。だから、資格のある奴らにバトンタッチするしかない」

「資格のある奴ら……」数秒考えこんだあと、彫り師は目を剝いた。「まさか……⁉」

「そう、警察だよ」芝居じみた仕草で、鷹央は肩をすくめる。「このコウモリのタトゥーは、都内で起きている連続殺人事件の被害者たちに彫られていたものだ」

「れ、連続殺人⁉」彫り師の声が裏返った。

「天下の警視庁が威信をかけて犯人を追っている。被害者たちにタトゥーを彫った可能性が高い男がいると知ったら、捜査一課のいかつい刑事たちが、目の色を変えてお前から話を聞き出そうとするだろうな。どんな軽犯罪であろうと、逮捕・勾留して訊問するはずだ。そのためには、もっともらしい理由をつけて、このスタジオやお前の自宅の捜索許可を裁判所からもらってくるぐらいはするだろうな」

鷹央は両手を大きく広げた。

「さて、お前は完全に清廉潔白かな？　軽い違法薬物やら、見つかったら困るものを持っていたりしないかな？」

タトゥーで埋め尽くされた彫り師の体が細かく震え出す。

「素直に話してくれたら警察なんか呼ばなくても済んだのに、残念だよ」

鷹央はそう言うと、片手を上げて踵を返し、出入り口に向かって歩き出した。

「ま、待ってくれ！」

鷹央がドアノブに触れた瞬間、彫り師が叫んだ。

「どうした？　お前に言われた通り、出ていこうとしているのに」

振り返った鷹央は、勝ち誇るかのように胸を反らした。

「……俺だよ」彫り師は力なくうなだれる。「たしかに、俺がコウモリを彫ったんだ」

鷹央はすっと目を細めると、スニーカーを鳴らしてつかつかと彫り師に近づく。

「詳しく聞かせろ」

「詳しくって、なにを話せばいいんだよ？」怯えた様子で彫り師は目をそらした。

「全部に決まっているだろ！　お前が知っていること、全部だ。重要な情報が聞けたら捜査本部への通報はしないでやる」

鷹央は彫り師の鼻先に、指を突きつける。

「知っていることなんて、ほとんどねえよ。ただ、依頼された通りにコウモリのタトゥーを彫っていただけだ」

「依頼されたって誰にだ？」

「タトゥーをいれる奴に決まっているだろ。そいつらが金を持ってきて、『いつものコウモリ、オネガイシマス』って、変なイントネーションで言ってくるんだよ」

「変なイントネーションってことは、オガサワラオオコウモリのタトゥーを彫った客は、みんな外国人なのか？」

「ああ、そうだ」彫り師は頷く。「感じからして、たぶん東南アジア系の外国人って雰囲気だった」

「これまで、何人ぐらいオガサワラオオコウモリのタトゥーを彫った？」

あごに手を当てながら、鷹央は質問を重ねていく。

「たぶん……三十人ってとこかな」

鴻ノ池が、「三十人も……」と小声でつぶやく。その気持ちはよく分かった。つまり、『吸血鬼』の被害者になる可能性がある人物が、まだまだいるということだ。

「最初は誰に、いつ、オガサワラオオコウモリのタトゥーを彫ったんだ？」

険しい顔で鷹央が訊ねると、彫り師は視線を天井辺りに彷徨わせた。

「そうだな……。たぶん、三年くらい前かな。若い外国人の男が、『コウモリのタトゥー、彫って下さい』ってやってきたんだよ。ただ、たんにコウモリと言われてもさ、色々デザインがあるわけだろ。いくつか見本を見せてやったんだけど、そいつは『どうでもいいです』って言いやがったよ」

「つまり『コウモリのタトゥーを彫る』という行為自体が目的であり、それをどんな絵柄にするかは関係なかったということか……」

「で、客がどうでもいいって言うんだから、俺は腕によりをかけて、故郷のコウモリをめちゃかっこよく彫ってやったんだよ」

「『どうでもいい』なんて言われて、適当にやろうとか思わなかったんですか？」

鴻ノ池の疑問に、彫り師はチッチッと舌を鳴らしながら、指骨のタトゥーが施された人差し指を左右に振った。

「分かってないな。彫り師は単なる職人じゃない。アーティストだ。俺たちは人間というキャンバスに作品を描くのさ。普通はそのキャンバスが色々と注文を付けてくるんで、俺たちはそれに縛られる。けど、真っ白なキャンバスに『好きに描いてくれ』って言われたら、最高の作品に仕上げようとするのは、芸術家として当然だろ」

「盛り上がっているところ悪いが、お前の芸術論に興味なんてない。事実だけを教えろ。自分の体に彫られたタトゥーを見て、その男はどんな反応をした」

鷹央が冷めた口調で言い放つ。水を差された彫り師は、不満げにかぶりを振った。

「まんざらでもなさそうだったよ。そりゃ、俺が腕によりをかけて彫ったんだから当然だよな。で、それから定期的に全く同じタトゥーを彫って欲しいって言う奴らが来るようになった」

「全く同じタトゥーを彫って欲しいという人が二十人も三十人も来て、おかしいとは思わなかったんですか？」

僕が疑問を口にすると、彫り師は皮肉っぽく鼻を鳴らした。

「別に。よくあることだからな」

「よくあること？」

「そうだよ。完全に同じタトゥーを彫って欲しいなんて依頼をしてくる奴らは決まってる。恋人同士か、ヤバいしのぎをしているグループのメンバーさ」

「ヤバいしのぎって、犯罪行為ってことですよね？」

僕は声を低くする。桜井もあのコウモリのタトゥーについて、反社会組織の構成員を示すものである可能性が高いと言っていた。

「お兄さん。なに当たり前のこと言っているんだよ。ここは欲望渦巻く歌舞伎町だぞ。日本どころか、アジア全体からヤバい組織がシノギを求めて集まる場所さ。ヤクザ、半グレ、外国人マフィア、なんでもありだ。特にマフィアの連中は、連帯感を示すために同じタトゥーを入れようとすることが多い」

「タトゥーを彫った奴らの身元は分かるのか？」

鷹央が言うと、彫り師は肩をすくめた。

「おいおい、嬢ちゃん。話を聞いていなかったのかよ」

「……嬢ちゃん？」

鷹央の表情が険しくなるが、彫り師は気づいた様子もなく言葉を続ける。

「いま説明しただろ。俺の客は、危険な奴らが多いんだよ。そんな奴らの個人情報なんていちいち聞くような間抜けは、この歌舞伎町じゃ仕事できねえ」

「他にコウモリのタトゥーを彫った男たちについて、知っていることはないのか？」

「ねえって。全部話したよ。これで満足しただろ。もう帰ってくれ」

「……そうか、しかたないな。帰るとするか」

鷹央は踵を返し、出入り口に向かって歩いていく。こんなにあっさり帰っていいのだろうか？　この彫り師はまだ何か隠している気がする。僕が迷っていると、扉の前まで移動した鷹央が、「ああ、そうだ」と、振り返ることなく言う。

「たぶん、明日にでも捜査一課の刑事たちがここにやってくると思うから、存分にもてなしてやってくれ。いや、逆に署に連れていかれて、もてなされる方かな」

「なっ⁉」彫り師が目を剝く。「ふざけんな！　約束が違うだろ」

「約束が違う？」

なおもこちらに背中を向けたまま、鷹央は低い声で言う。

「私がした約束は、『重要な情報が聞けたら捜査本部への通報はしないでやる』というものだ。しかし、お前がべらべら喋った内容に『重要な情報』なんてなかった。だから、取引は不成立だ。まあ、雑巾みたいにじっくり刑事たちに絞られてくれ」

鷹央がノブを摑んだ瞬間、「待ってくれ！」と彫り師が叫んだ。

「いま思い出した。写真がある。そいつらの一人の写真だ」

「写真？」振り返った鷹央の双眸がきらりと光る。「つまり、お前がオガサワラオオコウモリのタトゥーを彫った男の写真があるということか」

「そ、そうだよ。会心の出来だったから、写真を撮らせてもらったんだよ」

「そいつは、反社会組織のメンバーになった証として、タトゥーを彫りに来たんだろ。写真を撮られるなんて嫌がらなかったのか」

「そりゃ嫌がったさ。ただな、撮影させてくれたら施術料から一万円値引いてやるって言ったんだよ。そうしたら、撮影させてくれたぜ」

「撮影させる代わりに、一万円を懐に入れたっていうわけか。普通に考えたらリスクが高すぎる行為だ。よほど金に困っていたんだろうな。で……」

鷹央はじろりと彫り師を睨みつける。

「その写真はどこだ？　捜査本部に報告されたくなければ、さっさと、素早く、迅速に写真を見せろ。ほら、早く！」

「分かった。分かったって」

鷹央に急かされた彫り師は弱々しく言うと、部屋の壁に無数に貼られている写真の一枚を「あれだよ」と指さした。

壁に近づいて、彫り師が示した写真を見る。そこには、浅黒い肌をした上半身裸の男が写っていた。俯いている顔は彫りが深く、精悍に整っており、その肩には両翼を広げたオガサワラオオコウモリが描かれている。

「年齢は二十代半ばってところか。身体的な特徴からは、たしかに東南アジア系の外国人の可能性が高いな」

鷹央は目を大きく見開いて、写真に顔を近づけていく。

「……指が欠損しているな」

鷹央のつぶやきを聞いて、僕は写真に写っている男の右手の薬指と中指が、第一関節から先で切れていることに気づいた。

「ヤクザみたいに、指を詰めたっていうことですか？」

「いや、違うな」鷹央は首を振った。「指を詰めるなら、小指と相場が決まっている。

そもそも、あれは主に日本のヤクザの習慣だ」

「じゃあ、事故かなんかですか？」

「可能性は高いな。五指の中でも長い中指と薬指は、他の指に比べて事故で欠損するリスクが高い。特に工場などの事故で……」

そこまで言ったところで鷹央は目を見開き、壁に貼ってあった写真を乱暴に剝ぎ取って、鼻先に近づきそうなほど顔に近付けた。やがて、鷹央の華奢な肩が細かく震えだした。その口から、笑い声が漏れだす。

「手がかりだ！　見ろ！」

鷹央は写真の下の部分を指さす。男が穿いているズボンの腰辺りに、小さな文字が刻まれていた。

「長崎（ながさき）……製作所……？」

僕は目を凝らしてその文字を読み上げた。

「見たところ、この男が穿いているのは作業服のズボンだろう。おそらくは、勤めている仕事場から支給されたものだ。つまり、この『長崎製作所』に行けば、この男の情報を得られるってことだ」

早口でまくしたてた鷹央は、振り返って彫り師を見る。

「この写真はもらっていくぞ。文句ないな」

「好きにしてくれ。あんたらが消えてくれるなら、なんの文句もないよ」

投げやりにかぶりを振る彫り師を、鷹央はネコを彷彿する目でじっと見つめた。彫り師は「な、なんだよ」と軽くのけぞる。

「なあ、まだなにか隠していることはないか？」

「それは……」彫り師の目が泳ぐ。

「捜査本部……」

鷹央がぼそりとつぶやくと、彫り師は大量のタトゥーが刻まれたスキンヘッドを両手で抱えた。

「分かった、全部言うよ。言やあいいんだろ。別に隠していたわけじゃねえ。ただ、あまりにも気味が悪いから口にしたくなかっただけよ」

「気味が悪い？　具体的にはどう気味が悪いんだ？」

鷹央が前のめりになると、彫り師はぼそぼそと聞き取りにくい声で話しはじめた。

「実はあいつらコウモリのタトゥーをいれにくるとき……、とんでもないものをもってきて、それを使うように指示してくるんだ。嫌だったけどさ、下手に断るのも怖くて、言われた通りにするしかなかったんだよ」

言い訳するように、彫り師の男はか細い声で言う。

「ああ、まどろっこしいな。その『とんでもないもの』って何なんだ。刑事に踏み込まれるのが嫌なら、もったいぶっていないでさっさと言え」

鷹央につめられた彫り師は、ゆっくりと口を開いた。

「血だよ。血液を染料に混ぜてタトゥーを彫っていたんだ」

4

翌日の午前十時過ぎ、僕は愛車のCX－8で首都高を駆けていた。

休日の朝なので、交通量も少ない。フロントガラスの向こう側には雲一つない晴れ渡った空が広がっている。絶好のドライブ日和だ。

……隣から聞こえてくる、バリバリという音さえなければ。

僕は横目で助手席を見る。そこでは、リクライニングを大きく倒してリラックスした鷹央が、カレー煎餅を頬張っていた。

「車中でおやつ食べるのは禁止って、いつも言っているでしょ」

僕が抗議をすると、鷹央は袋から新しいカレー煎餅を取り出し、挑発するようにひらひらと振った。

「これは断じて『おやつ』ではない。昨日、歌舞伎町から帰ったのが遅かったので、今朝は寝坊をしてしまい、朝食を食べる余裕がなかった。つまり、この煎餅は正確にはおやつではなく『朝食』だ。ここで『朝食』をとるなとは言われていない」

「そんな屁理屈を……。僕の大切な愛車が汚れるから、車内では何も食べないで欲しいんですよ。特に粉が落ちやすいポテトチップスとか煎餅は」

「前向きに検討する」

面倒くさそうに言った鷹央は煎餅をくわえ、バリっと音を立ててかみ砕く。

「その態度のどこが、検討しているんですか？」

「綿密に検討するためには、脳を働かせる必要がある。そして、脳を動かすにはブドウ糖が不可欠だ。そのため、私は煎餅という炭水化物を摂取しているんだ」

バリバリという小気味よい咀嚼音とともに、鷹央はさらに屁理屈を並べ立てた。

「なんでもいいですけど、朝食が煎餅って、本当に体を壊しますよ。最低限、カレーに入っている野菜とか肉で、ビタミンとかタンパク質をとるようにして下さいね」

超偏食の鷹央は、基本的にカレー味のものか甘味以外、口に入れようとしない。

「……また、私に運動と言う名の拷問を強いるつもりか？」

咀嚼していた煎餅を呑み込んだ鷹央は、警戒で飽和した声で言う。

「拷問ってオーバーな。将来のためにも、少し健康的な生活をして欲しいだけです」

「そうですよ！」

後部座席に座っていた鴻ノ池が、運転席と助手席の隙間から顔を覗かせた。

「健康的な生活も気持ちいいですよ。少しずつでもいいから、私と一緒に生活習慣の改善をしましょうよ。いろいろと教えますから」

「そういうお前は、そんなに健康的な生活しているのか？」

僕が訊ねると、鴻ノ池は「はい！」と覇気のある声で答えた。

「今朝は六時に起きて、バナナ、小松菜、オレンジ、アボカドでスムージーを作って飲みました。そのあと、十キロぐらい朝のランニングをしてシャワーを浴びてから、山盛りのサラダとベーコンエッグとトースト、あとブルーベリーと蜂蜜をたくさん入れたヨーグルトを朝食に食べました。それでもまだ八時になっていなかったから、一時間くらい筋トレとヨガをして……」

「健康的過ぎて逆に怖いわ！」

反射的に僕が突っ込むと、鴻ノ池は「いやあ、それほどでも」とはにかむ。

褒めているんじゃなくて、素で引いているんだけど……。どれだけ体力あるんだ。

「そんな健康的な生活、不健康だ。私がやったら間違いなく死ぬ」

煎餅の袋を抱えるようにしながら、鷹央が怯えた声を出す。そのとき、『間もなく出口です』という音声がカーナビから響いた。

「高速を降りますよ」

ハンドルを傾けて、降車車線へとＣＸ－８を滑らしていく。

昨夜、歌舞伎町からの帰り道に、『長崎製作所』という名の小さな町工場が存在することを調べ上げた鷹央は「明日はここに捜査に行くぞ！」と拳を突き上げた。かくして僕たちは、朝から葛飾区金町にあるその工場へと向かっていたのだった。

できることなら、貴重な週末を二日とも殺人事件の捜査などでつぶしたくはなかった。しかし、『謎』に向かい暴走をはじめた鷹央を止める術などないことは、これまでの付き合いで痛いほどに分かっている。こうなったらできるだけ捜査に協力して、さっさと事件の真相を鷹央に解き明かしてもらった方が、結局は無駄な労力を使わずに済むと僕はすでに悟って（諦めて）いた。

「しかし、昨日のタトゥースタジオではもう少し、情報が欲しいところでしたね。写真を貰った男以外にも、三十人くらいあそこでタトゥーを彫っていたんですから、もっと時間をかけて思い出させれば、他にもなにか情報が得られたかも」

僕は車のスピードを緩めていく。

「それは警察に任せるとしよう。あいつらなら徹底的に情報を絞り出してくれるさ」

「え？　鷹央先生、あの彫り師との約束破って、捜査本部に情報提供したんですか？」

「人聞きの悪いことを言うな。『捜査本部に情報提供しない』っていう約束を破ったりしていない。私はたんに、桜井に話しただけだ」

「いや……、桜井さんに話せば、必然的に捜査本部に情報が上がるじゃないですか」

「それは桜井が勝手にやっていることだ。私から直接、捜査本部に連絡を取ったわけじゃない。つまり、私は約束を破っていないということだ」

彫り師に同情するが、たしかに警察ならさらにあのタトゥースタジオから手がかりを得られるだろう。連続殺人事件を止めるためだ。まあ、しかたない。

「警察がのろのろとタトゥースタジオを調べている間に、私たちは一歩先んじるぞ」

「けど、今日って日曜ですよ。工場とかやっていないんじゃないですかね」

首都高を降りた僕は、赤信号で車を止める。

「そうかもしれないが、こういう小さな工場は裏手に経営者の自宅もあることが多い。もし、昨日の写真に写っていた男が工場の従業員だとしたら、経営者に話を聞くのが最も効率的だ。仕事中よりも、休日の方が落ち着いて話を聞ける可能性が高い」

「なんか、もっともらしいこと言ってますけど、本音は一秒でも早く『謎』を解くための手がかりが欲しいだけでしょ」

僕が指摘すると、鷹央はじろりと睨んでくる。

「そうだよ。なんか文句あるのか？」

「開き直るの、早すぎません？」

「うっさいな。『謎』を解くためには、手がかりが必要なんだよ。ジグソーパズルのように散らばった様々な情報のピースを正しい位置に嵌めていくことで、事件の全体像が浮かび上がってくるんだ。お前、ピースが足りないパズルを私にやれって言うのか。そんなこと言う口はこれか」

鷹央は手に持っていたカレー煎餅を、僕の口に突っ込んできた。一口で食べるのには大きすぎる煎餅に口がふさがれ、喋れなくなる。

「いやあ、やっぱりお二人の夫婦（めおと）漫才は最高ですね。眼福眼福」

鴻ノ池が両手を合わせて拝んでくる。「誰が夫婦だ」と突っ込みたいところだが、煎餅でいっぱいの口を開くことが出来なかった。

「なんで、こんなむさい男と夫婦にならないといけないんだよ」

鷹央がかぶりを振ると、「えー、お似合いなのに」と鴻ノ池がまぜっかえす。

「せっかくパートナーにするなら、綺麗な姉ちゃんか、可愛い女の子の方がずっといいだろ。目の保養になる」

鷹央がつまらなそうに言うと、鴻ノ池がさらに身を乗り出してきた。

「可愛い女の子がいいなら、私なんてどうですか？　鷹央先生だったら、私、全然いけるかも」

いけるって、なにがだよ……。再度、突っ込もうとするが、やはり煎餅が邪魔して言葉が出ない。必死に煎餅を咀嚼する僕の横で、鷹央は鴻ノ池の顔を見つめた。

「え、なんですか、鷹央先生。もしかして、本当に私のこと……」

「……なんか違う」

　ぼそりとつぶやいた鷹央のセリフに、鴻ノ池は目を剝く。

「なんでですか！　私、それなりに可愛い方じゃないですか！」

　自分で言うなよな。カレー煎餅を味わいながら、信号が青になったのを確認して、僕はアクセルを踏み込んだ。

「同期の研修医とか、上級医の先生とかにけっこうアプローチされているんですよ。なんで鷹央先生のおめがねにかなわないんですか⁉」

「うーん、なんというか……エロさが足りない？」

「エロさ⁉」

　鴻ノ池は悲鳴じみた声を上げる。バックミラーで確認すると、鴻ノ池はいきなりシャツをめくって、腹筋がうっすらと浮き出た引き締まった腹をさらけ出していた。

「私のどこがエロくないんですか⁉　みて下さいよ、この引き締まった身体と瑞々（みずみず）しい肌を。健康的なエロスに溢れているでしょ」

「ワタシ、ケンコウ、キライ」

　ロボットのような口調で鷹央に言われ、鴻ノ池は「もう！」と首を振る。

「小鳥先生なら分かってくれますよね。私の溢れる色気を」

「……正直に言っていいか？」

僕が確認すると、鴻ノ池は「もちろんです」と張りのある声で答えた。

「お前を見ているとなんとなく、夏休みの男子小学生が思い浮かぶんだよ」

「男子小学生⁉」

悲鳴じみた鴻ノ池の絶叫が、車内に響き渡る。視界の隅に、聴覚過敏の鷹央の体が助手席で小さく跳ねるのが映った。

「私、着やせするタイプだから、胸だってそれなりにあるんですよ！　けっこうエロいスタイルしているんですよ！」

「そうですか……。了解です」

あまりにも必死な鴻ノ池の様子に、思わず敬語になってしまう。

「その反応、信じていませんね。確認しますか？　脱ぎますか⁉」

「信じる！　信じるから、車内でストリップをしようとするな！」

あわてて僕は鴻ノ池を止める。そんなに「エロくない」と言われたのがショックだったのか？　もしかして、密かに気にしているんじゃ……？

このままでは、収拾がつかなくなると思った僕は、話題を変えようと「ところで鷹央先生」と声をかける。

「タトゥーの染料に血を混ぜていたっていう話、どう思いますか？　そもそも誰の血なんでしょうね」

「んー、そうだな」

　鷹央は手にしていたカレー煎餅をひらひらと振った。

「普通に考えたら、組織の一員、ある意味『血族』の末席に加わるという意味だろうな。海外の反社会組織は自らを『ファミリー』と呼称することも多い。その場合は、組織のボスが自らの血を使ってタトゥーを彫らせている可能性が高いな」

「血族に加わる証として、血液のタトゥーを彫る、ですか。けど、日本ではそういう文化にあまり馴染みがないせいか、不気味に感じますよね」

「そんなことないぞ。日本でも強い意志を示すときに血判状を作ることがあるだろ。自らの血を朱肉の代わりにして拇印を押す。つまり、体内を流れる血液を印として使うという文化は、洋の東西を問わず存在しているってことだ」

「じゃあ、血液のタトゥー自体は、特別なことではないということですか？」

　ハンドルを握りながら僕が問うと、鷹央は「うーん」と腕を組む。

「ただ、今回の事件には『血液』が大きくかかわっている。全身の血液が抜かれていた遺体と、そこで発見された吸血鬼のような姿をした男。血液のタトゥーにも、ただ組織の一員の証という以外に、なにか特別な意味があるのかもしれない」

　考え込み出した鷹央の思考を邪魔しないよう、僕は口をつぐんでCX－8を走らせていく。首都高を下りてから十五分ほどすると、目的地が近づいていた。カーナビから『間もなく目的地周辺です』というアナウンスが響く。

「あ、あそこですね」

百メートルほど先に、『長崎製作所』という看板を掲げている工場が見えてきた。遠目でもかなり年季が入った建物であることがうかがえる。いかにも『古くからある町工場』といった雰囲気だ。

近くにあるコインパーキングにCX－8を停めるやいなや、叩きつけるように勢いよく助手席の扉を開いて、鷹央が外に飛び出た。

「車を乱暴に扱わないで下さいって、いつも言っているじゃないですか！」

文句を言うが、鷹央はそれが耳に入った様子もなく工場へと大股で向かって行く。『吸血鬼連続殺人事件』という魅力的な謎を解くための大きな手がかりを前にして、いてもたってもいられなくなっているようだ。

「猪突猛進って感じですねえ」

後部座席からおりた鴻ノ池が呑気な感想を漏らしながら、デニムシャツのボタンを留めている。

こいつ……本気で脱ごうとしていたの？　軽い恐怖をおぼえながら、「とりあえず行くぞ」と鴻ノ池を促して、僕は小走りに鷹央のあとを追った。

工場の入り口辺りで鷹央に追いついた僕は、中を覗き込む。小学校の体育館ほどの大きさの工場で、十人ほどの従業員が働いていた。一見したところ、その大部分が東南アジア系の若い外国人労働者だ。

どうやらこの長崎製作所は機械の部品を作っている工場のようだ。プレス機や裁断機などの巨大な機械が、大きな駆動音を響かせている。

「日曜日なのに、普通に稼働しているんですね」

鴻ノ池がつぶやくと、鷹央は「それはどうかな？」とつまらなそうに言った。

「え？　どういう意味ですか？」

鴻ノ池の問いに答えることなく、鷹央は大きく開いた出入り口から工場に入った。

「あ、ダメよ、ダメダメ。関係ない人、入ってきちゃダメ。あぶないよ」

出入り口近くの機械を操作していた若者が慌てて声をかけてくる。

「ここの責任者はどこにいる？」

「セキニンシャ？」若者の眉間にしわが寄った。

「社長だ。社長はここにいるのか？　話がある」

「ああ、シャチョウさんね。オーケー。けど、あなたたち誰？」

「警察の関係者だ」

悪びれるそぶりもなく言い放った鷹央に、僕は呆れる。たしかに、警視庁捜査一課の刑事である桜井の依頼で事件を調べているので、もの凄く広義には『警察関係者』

と言えなくもないかもしれない。ただ、この言い方では僕たちが警察官だと誤解してしまうだろう。もちろん、意図的にそうしているのだろうけど……。

「けいさつ、けいさつ……、オー、ポリスメン」

予想通り若者は誤解したが、鷹央は微笑むだけで肯定も否定もしなかった。

「オーケー。ちょっと待っててね」

若者はそう言い残すと、工場の奥へと早足で進んでいった。それを見送って、僕は鷹央に声をかける。

「いいんですか、警察関係者だなんて言っちゃって?」

「私たちは警視庁捜査一課の刑事である桜井の依頼で事件を調べている。つまり、広義には『警察関係者』と……」

「分かってます。その理屈は分かっていますから」

「分かっているなら、わざわざ説明させるなよな」

鷹央が鼻を鳴らすと、若者が工場の奥から太った男を連れて戻ってきた。

「どうもどうも、お待たせしました。社長の長崎です」

愛想笑いを浮かべながら、二重あごを震わせて長崎と名乗った男を、僕は観察する。年齢は六十前後といったところだろうか。腹に大量についた脂肪が、紺色の作業服を押し上げている。

「えっと、警察の方ということでしたが……」

長崎の顔に戸惑いが浮かぶ。童顔で高校生、場合によっては中学生にも見える鷹央と『警察』のイメージの乖離に困惑しているのだろう。

「そうだ。いま連続殺人事件について調べていて、この工場の従業員がその捜査線上に浮上した。だから、少し話を聞きたいんだ。いいな？」

ゆっくりと考える隙を与えぬためか、鷹央はなんの前触れもなく『連続殺人事件』という刺激的な単語をぶつける。それが功を奏したのか、長崎の顔に浮かんでいた戸惑いが、不安へと変化していった。

「連続殺人事件ってどういうことですか？」

声を裏返す長崎の態度を見るに、僕たちの正体に対する疑念は消え去ったようだ。

「それについて詳しく説明してやる。どこかゆっくり話せる場所はあるか？」

長崎は「それじゃあ、奥の社長室へ」と工場の奥を指さした。

長崎を先頭に、僕たちは工場内を進んでいく。機械の駆動音がさらに大きくなる。裁断機が鉄板から切り出した部品をふらふらと運んでいる男とすれ違う。その横顔には濃い疲労が浮かび、目は虚ろだった。

「おい、もっとシャキッとしろよ！　真面目にやんねえと国に送り返すぞ！」

長崎が唾を飛ばして、従業員を叱責する。男は力なく振り返ると、「すみません、シャチョウさん」と弱々しい声を絞り出した。

「ったく、ふざけやがって」

悪態をついた長崎は、大きく舌を鳴らしてさらに奥へと向かう。僕と鴻ノ池は顔を見合わせ、鷹央が眉間に深いしわを寄せたあと、再び長崎のあとについていく。

工場の奥の壁にそって設置されている階段を上がると、中二階部分に小さなプレハブ小屋のようなものがあった。そこの扉を開けて長崎は、「どうぞ」と僕たちを招き入れる。

十畳ほどのスペースの奥にデスクがあり、その手前にテーブルと数脚のパイプ椅子が置かれていた。向かって右手は大きな窓になっている。

「ここが社長室です。防音になっているんで、ここならゆっくり話ができます」

長崎は小型冷蔵庫から緑茶のペットボトルを出して、テーブルの上に置いていった。

「なるほど、吹き抜けになっている工場の中二階に、社長室を作ったってわけか。工場内を一望できるな」

鷹央は窓から工場内を見下ろす。

「ええ、そうです。サボっている奴がいないか、ここから監視するんですよ」

「サボっている奴……か」

振り返った鷹央の目がすっと細くなる。

「さっきすれ違った男は、サボっているというよりも、疲労困憊でいまにも倒れそうに見えたけどな。日曜も工場を動かして従業員を働かせているようだが、しっかりと休みは取れているのか？」

「従業員？」長崎は分厚い唇の端を上げた。「今日いる奴らは従業員なんかじゃありませんよ。たんなる見習いです」

「見習い……？」

鷹央は再び窓を向き、外国人の若者たちが忙しそうに働いている工場を見下ろす。

「……技能実習生か」

「おお、よく知ってますね。そう、あいつらはうちに技術を習いに来ているんですよ。働いているんじゃなく、ここで勉強させてやっているんです」

「勉強だとしても、肉体的にも精神的にもかなりハードなのは間違いない。しっかりと休みを取らせないと、事故が起きるぞ」

「そんな甘いこと言ってたら、一人前なんかにならないんですよ。それより、聞きたいことがあるんじゃないんですか」

明らかに不機嫌になった長崎は、パイプ椅子を引いて巨大な臀部を乗せた。

「では、本題に入るとしようか」

テーブルを挟んで長崎の向かいに鷹央が腰掛け、その両隣に僕と鴻ノ池が座る。

「この男に見覚えはあるか」

鷹央はポケットから、コウモリのタトゥーを彫った男の写真を取り出し、テーブルの上に置く。

「ファン……」写真を見た長崎の顔に、明らかな動揺が走った。

「知っているんだな」

「ファン・チェット。うちで働いて……見習いをしていた男です。ベトナム人なんでミドルネームもあるんですけど、覚えにくいって言ったら、名乗らなくなりました。この業界ではそういう奴ら多いですね。郷に入っては郷に従えってやつです」

どこか差別的な響きのある長崎の発言に鷹央の眉根が寄る。

「この男も技能実習生だったんだな。いまはいないのか？」

「ええ、けっこう前に姿を消しました。それで……」

言葉を切った長崎は、首をすくめると上目遣いにこちらに視線を送ってくる。

「まさかファンが、連続殺人の犯人だったりするんですか？」

脂ぎっている顔から血の気が引いていく。それはそうだろう。技能実習生として招いた男が失踪したうえ、連続殺人を犯していたりすれば、この工場にマスコミが殺到するだろうし、大きな責任問題にもなりかねない。ただ……。

僕はテーブルに置かれた、ファンという青年の写真に視線を落とす。

表情こそ暗いものの顔は整っていて、血色も悪くない。露わになっているその上半身は筋肉質だった。最初の遺体発見現場でホームレスの男性が目撃したという、痩せて蒼白く、牙の生えた『吸血鬼』の姿とはかけ離れている。

このファンという男が連続殺人犯の可能性は低い。少なくとも彼が『吸血鬼』だということはないだろう。

「どうだろうな。それをはっきりさせるために、いま情報を集めているところだ」

鷹央は含みのある口調で言う。長崎の額に、玉のような脂汗が浮かびはじめた。長崎を動揺させて口を軽くさせ、必要な情報を一気に絞り取るつもりなのだろう。効果的だが、意地の悪いことこの上ない。

僕が呆れていると、鷹央は「さて」と泳いでいる長崎の目をまっすぐに見つめた。

「そのファン・チェットっていう男はどんな奴だった？」

「どんな奴って……。普通の外人ですよ。日本語も下手で、なに言っているかよく分からないことが多かったし、ものおぼえも悪くて、苦労させられました」

あしざまに言う長崎のセリフに、鷹央の頬がピクリと震えた。

「日本語は複雑な言語だ。それに母国語ではない言葉でものごとを学ぶのは、普通の人間なら大きな負担になる」

苛立ちが滲む鷹央のセリフを聞いて、僕は思わず微笑んでしまう。生まれつきの性質上、鷹央は他人の心情を読むということを苦手にしている。それに、超人的な頭脳をもつ彼女は、ほかの言語を学ぶことも苦もなくやってのける。そんな彼女がいまは、ファンという青年の立場に自らを投影し、その苦労を理解し、怒りをおぼえている。

きっと、僕と出会ってすぐの頃の鷹央なら「天才の私だったら、そんなことに苦労はしないがな」とか言い出していたはずだ。彼女がこの一年で、人間として確実に成長していることが嬉しかった。目を細めていると、鷹央がぼそりと付け足した。

「まあ、天才の私だったら、そんなことに苦労はしないがな」

……やっぱり、あんまり成長していないかもしれない。

肩を落とす僕を尻目に、鷹央は言葉を続ける。

「ただ、凡人としてはかなり頑張っていたのは間違いない。それを上司であるお前が貶すのは感心しないな」

「日本に来ているんだから、日本語を完璧にしてくるのが当然でしょ。あいつら、考えが甘いんですよ。俺が若い頃はもっと苦労して、必死に親方の技を見て盗んでましたんだ」

「……」

「お前の思い出話なんて興味ない。それより、いつ頃、このファンという男は姿をくらましたんだ」

自慢話を遮られた長崎は、渋い表情で数秒考え込んだあと口を開いた。

「そうだなぁ。たぶん、一年ぐらい前ですかね。仕事ができないとか、ふざけたことを言い出したんで叱り飛ばしたら姿をくらましたよ、あの根性なし」

「仕事ができない？　どうして、できなくなったんだ」

長崎は「それは……」と言葉に詰まる。鷹央は写真のファンの右手を指さした。

「中指と人差し指の先端部分が欠損している。この怪我のせいなんじゃないのか？」

「そう言っていましたね。けどね、こういう場所で働いたら、指の一本や二本、飛んじまうのは別に珍しいことじゃないんですよ。昔はそれくらいの怪我、気にしないで仕事をしていました。ファンの奴は、怪我を口実にサボりたかっただけなんですよ」

あまりにも前時代的で身勝手な暴論に、鼻の付け根にしわが寄ってしまう。第一関節から先だけとはいえ、指が二本も欠損すれば日常生活にもかなりの支障が出るはずだ。少なくとも、傷の状態が安定するまで、仕事を休ませるのは当然ではないか。

鷹央は「ほう」とあごを引く。

「こういう場所なら珍しくないということは、この男は仕事中に指の怪我をしたということか。つまりは労災になるな。それなのに、労働の監督者であるお前は、仕事を続けることを強制したってわけだな」

長崎の顔に明らかな動揺が浮かんだ。

「いや、それはあくまで例として出しただけで……。あいつは、寮で料理を作っているとき包丁で切ったんですよ。ええ、たしかそのはずです」

釈明する長崎を睨んだ鷹央は、振り返って窓の外に広がる工場を見る。

「それなら、いま働いている奴らに話を聞いていいか？　同僚なら詳しい事情を知っているかもしれないからな」

「ちょっと。いい加減にして下さいよ」

焦った様子で長崎は椅子から立ち上がる。

「こっちは仕事中だっていうのに、善意で話をしたんですよ。もう姿を消してからだいぶ経っているんだ。ファンの奴がなにをしようが、うちにはなんにも責任はありません。仕事の邪魔になるんで、もう帰って下さいよ。それともなんですか。捜査令状とかいうやつを持っているんですか？」

「いや、令状はない」

「なら、相手が警察だって話をする義務なんてないはずだ」

そこで言葉を切った長崎は、鷹央をいぶかしげに見つめる。

「そもそも、あんた、本当に警察官なんですか？」

さすがに動揺もおさまってきたのか、長崎は至極当然の疑問をぶつけてくる。

「私は『警察官だ』なんて名乗っていないぞ。『警察の関係者』だと言っただけだ」

「じゃあ、警察じゃねえのかよ⁉」

腫れぼったい目を剝く長崎に、鷹央はあっさりと「ああ、違う」と答える。長崎の表情筋がぴくぴくと痙攣しだした。

「ふざけんな！　さっさと俺の工場から出ていけ！　さもないと、警察呼ぶぞ！」

「だから、騙してなんかいない。お前が勝手に勘違いしただけだ。そもそも……」

しれっと言い放つ鷹央のわきに、僕と鴻ノ池が手を入れ、椅子から立たせる。

「鷹央先生、もう撤退しましょう。十分に情報は得られたでしょ」

耳打ちしながら出入り口に引っ張っていくと、鷹央は駄々をこねる子供のように両手足をばたつかせた。

「十分じゃない。こいつはまだ、なにか隠している。それを聞き出さないと」

「聞き出す前に、本当に通報されて、不退去罪で逮捕されちゃいますよ」

そう鷹央をなだめながら、僕は鴻ノ池に目配せをする。鴻ノ池は「お任せあれ」と頷くと、鷹央の手首を摑み、肘関節に軽く手を添えた。

「はい、鷹央先生。行きましょうね。出口はあっちですよ」

痛みが出ないように、それでいて動けないように鷹央の肘と肩の関節を極めた鴻ノ池は、鷹央を扉の方へと連れて行く。警察官が捕まえた犯人を歩かせるときなどに使う合気道の連行術。大男の僕を投げ飛ばすほどの実力を持った合気道家である鴻ノ池にとっては、鷹央を連行することなど、文字通り赤子の手を捻るようなものだろう。

鷹央を連れて社長室を出た僕たちは階段をおり、工場の出入り口に向かって進む。

「こら、舞。放せ。放さないと、ボーナスの査定を下げるぞ」

「鷹央先生、残念ですけど、研修医はボーナス出ないんです。というわけで小鳥先生と違って、私にその脅しは効きません」

身をよじる鷹央を苦もなく連行しつつ、鴻ノ池が歌うように言う。

「それじゃあ、お前が来年、統括診断部に入ってきたときのボーナス下げる」

「えー、そんな酷いことするんですかぁ。統括診断部に入るつもりだったけど、ボーナスが出ないんじゃあ生活が苦しいなぁ。鷹央先生には悪いけど、他の科に……」

「あ、うそ。ちゃんとボーナス出す。満額出すから」

鷹央は統括診断部の人員をさらに確保して、入院ベッドや外来の枠を増やし、いま以上にたくさんの『謎』がやって来る体制を構築することを企んでいる。その鷹央にとって、二年目の研修医が進路を決めるこの時期、統括診断部に入局する可能性が高い鴻ノ池には頭が上がるはずもなかった。

「わー、嬉しい。約束ですよ。毎回ボーナス満額ですね」

連行術をかけたまま小悪魔的な笑みを浮かべる鴻ノ池に、鷹央は「いや、毎回とは……」と顔を引きつらせる。

なんか統括診断部内のヒエラルキーで、僕が一番下になってないか？

そんなやりとりをしながら工場の出入り口までくると、ようやく諦めたのか鷹央も暴れなくなり、鴻ノ池が手を離した。

「しかし、もう少しファンという男についての情報が欲しかったな」

後ろ髪引かれる様子で鷹央がつぶやく。

「仕方ないですよ。まあ、写真の男がここで技能実習を受けていたことが分かっただけでも大きな情報です。あとは、昨日のタトゥースタジオと同じように、桜井さんに情報提供して、徹底的に調べてもらいましょうよ」

僕がなだめると、鷹央は不満げに「分かったよ」と答える。そのとき、近くの機械を操作していた男、さっき長崎を連れてきてくれた青年が、駆け寄ってきた。

「いま、ファンって言いましたか？」青年は上ずった声で訊ねてくる。

「え、ええ、言いましたけど」

勢いに圧倒されながら僕が答えると、青年は縋りつくように両手を伸ばしてきた。

「ファンがどこにいるか知っているんですか？　ファンになにかあったんですか？」

「お前、ファン・チェットという男の知り合いか？」

鷹央が低い声で訊ねる。青年は大きく頷いた。

「はい。ファンと私、一緒にベトナムから来ました。寮の部屋も一緒だった」

「親友ってわけか。私たちもファン・チェットの行方を捜しているんだ。そいつについて詳しいことを知りたい。教えてくれるか」

「もちろんです。ファンは……」

そこまで言ったところで、青年ははっとした表情を浮かべると、振り返ってさっきまで僕たちがいた社長室を見上げる。大きな窓から、長崎がこちらを睨んでいた。

「シャチョウさん、ファンの話をすること嫌がる。ここじゃダメね。この近くに、喫茶マジマっていうカフェある。そこで待ってて。昼休みになったら行くから」

青年はそう言い残すと、逃げるように持ち場である機械の前へと戻っていく。

巨大な機械の作動音が、内臓にまで響いてきた。


「こういう古臭い喫茶店のカレーって、けっこう美味(うま)いんだよな」

スプーンでビーフカレーをすくいながら、鷹央は上機嫌に言う。

「古臭いって、失礼でしょ。レトロって言って下さいよ」

少し離れたカウンターでコーヒーを作っている老年のマスターを横目で確認しつつ、僕は皿に置かれたサンドイッチをつまんだ。

長崎製作所で話を聞いてから約一時間後、僕たちは工場から歩いて五分ほどの距離にある純喫茶のボックス席に座り、昼食をとっていた。

「けど、なかなか来ませんねえ……」

ナポリタンスパゲティをフォークに巻きつけながら、鴻ノ池が壁にかかっている鳩時計を見る。それを合図にしたように、鳩が「ポッポー」と鳴いた。十二時半だ。

出入り口の扉が勢いよく開き、ついていたドアベルがちりりんと澄んだ音を立てる。工場にいた青年が、息を切らせながら店内に入ってきた。

「おう、待っていたぞ。こっちだ、こっち」

鷹央が手招きをすると、青年は安堵の表情を浮かべて近づいてくる。

「待たせて、ごめんなさい」

僕の隣に腰掛けた青年は、つむじが見えるほどに頭を下げた。

「頭を上げろって。そんなに汗だくになっているということは、昼休みになってすぐに全力で走ってきたんだろ。謝る必要なんてない」

鷹央は手に持っているスプーンを振る。カレーの雫(しずく)が飛ぶから、やめて欲しいんだけど……。

「いらっしゃいませ」

近づいてきたマスターが水の入ったコップを置く。青年は両手でコップを摑むと、その中身を一息であおった。

「喉が渇いていらっしゃるんですね。もう一杯持ってきます。それで、ご注文はなんになさいますか?」

「注文……、ご注文……」

青年は目を泳がせると、「一番安い飲み物、お願いします」と首をすくめた。

「おい、なに言っているんだよ。昼メシまだなんだろ。お前、まだ若いし、朝から働いて腹が減っているはずだ。奢ってやるから、好きなものを腹いっぱい食べろ」

「え……、いいんですか？」

青年の顔が輝くのを見て、僕は鷹央の人としての成長を再度見た気がして、思わず口元が緩んでしまった。

「もちろんだ。その代わり、奢った値段に見合うだけの情報を頂くがな」

……この余計な一言がなければ、なお良いのに。

メニューを見てどこか遠慮がちに大盛のBLTサンドとトマトジュースを頼んだ青年は、マスターが注ぎ直してくれた水を一口飲んだあと話しはじめる。

「私の名前は、グエン・フンいいます」

「ファン・チェットの件で話したいことがあるって言ったな。ファンがいまどこにいるのか、分かっているのか？」

「いいえ、それ、分かりません」グエンと名乗った青年は、哀しそうに首を振った。

「そうか。ただ、ファン・チェットと親しかったんだな。ではファン・チェットが消えたときのことを教えてもらおうか」

「はい」グエンは緊張した面持ちで頷く。「あの頃、ファンはシャチョウさんに毎日すごく怒られていました。ファンの仕事、できた部品を機械で削ることだったけど、それ、うまくできなくなったから」

「指の怪我のせいだな。長崎は包丁で切ったって言っていたが本当か？」

「ちがうちがう。それ、ウソ。ファンは機械で怪我した。鉄をプレスする機械。それに、指を潰された。ファン、大声で泣いて、たくさん血が出て大変だった」

その凄惨な光景を想像し、サンドイッチを口に運んでいた手が止まってしまう。

「けれど、長崎はそれが事故であることを隠したんだな。あの工場は、安全対策がかなり甘い。労災になって調査が入ったりしたら、面倒なことになるからな」

「そう。シャチョウは自分でやったことにしろってファンに言ったね。そうしないと、国に送り返すって脅した。ずるいよ。それ、すごくずるい」

怒りのためか、テーブルに置かれたグエンの拳がぶるぶると震えはじめる。

「仕事中の怪我が原因で作業がうまくできなくなったにもかかわらず、長崎は責任を取るどころかファンをさらに叱責したってことか」

「しっせき？」グエンがまばたきをする。

「厳しく叱ることだ」

「そう。ファン、すごく怒られた。でも、しかたない。指がなかったら、機械うまく

使えない。だからファン、落ち込んで、仕事を休みたいって言った。そうしたら、

……シャチョウさんに殴られた」

「かなり非人道的な扱いだな。ファンは誰かに相談したりしなかったのか？」

「しましたしました。この人です」

グエンは作業服のポケットから油の染みがついた名刺を取り出す。そこには『NPO法人　技能実習110番　宮内誠志（みやうちせいじ）』と記されていた。見たところ、不当な扱いをされている技能実習生の相談にのる非営利団体のようだ。

「ここに相談して、なにか解決したのか？」

「いいえ、なにも」グエンは悔しそうに唇を噛（か）んだ。「そこの人、とっても親切に話聞いてくれたって、ファン、言ってた。けど、ファンがやって欲しかったことは難しいって言われた。ファン、すごく落ち込んでいて、それからすぐにいなくなった」

「やって欲しかったことって、具体的にはなんなんだ」

「分かりません。ファン、教えてくれませんでした」

「だとすると、そのNPO法人に直接話を聞く必要があるな。それで……」

鷹央はグエンの顔をまっすぐに見る。

「ファンは反社会組織に入った。お前にそう連絡があったんだろ」

「なんで、そう思います？」グエンの態度に警戒が浮かぶ。

「そりゃそうだろ。ファンは技能実習生としてこの国に入国しているんだ。けれど、実習先の工場から姿を消せば当然、技能実習生として日本にはいられなくなる。母国に帰るか、不法滞在をするしかない。そして、不法滞在をするとなると正規の職にはつけなくなり、必然的に非合法の仕事に手を染めざるを得なくなる」

　鷹央は滔々と説明を続ける。

「ただ、いきなり裏の世界に入ってもすぐにそこに馴染めるわけじゃない。特に、もともとそのような裏社会に染まっていなかった真面目な青年はな。誰か、知り合いに相談したいと思うのが普通の感情だ。しかし当然、故郷に残していた家族には心配をかけるので連絡を取れない。そうなると残っているのは、同じ釜の飯を食い、自分のつらい境遇を理解してくれる気の置けない友人ということになる。つまり……」

　鷹央はグエンを指さした。

「お前だ」

　こわばった表情で喉を鳴らして唾を飲んだグエンは、ゆっくりと頷いた。

「そうです。ファンは私に会いに来ました。仕事が終わって寮に帰ろうとすると、細い道、隠れていたファンが声、かけてきました。そこで私たち、話しました」

「それはいつ頃のことだ？」

「えっと……スリーウィークス、三週間ぐらい前です」

かなり最近、すでに吸血鬼連続殺人事件の最初の被害者は見つかっている時期だ。

「ファンはなんて言っていた？」

「急にいなくなって、心配させてごめんて。あと、元気だって」

「工場をやめてなにをしているか、聞いたか？」

グエンの表情が曇る。

「悪いことしてる、言っていました。ドロボウとか、クスリ売っているとか」

やっぱり犯罪に手を染めていたのか……。僕が口を固く結ぶと、それを見たグエンが「違うんです！」と声を大きくした。

「ファン、そんなことするつもりなかったって。ただ、日本でほかの仕事、紹介してもらえる言われて、グループに入った。そしたら、悪いことさせられた。本当はファン、そんなことしたくない、言ってた。でもお金もらえる仕事、他にない。ベトナムにいるファンの家族、すごく貧乏。ファンが送ってるお金がないと困る」

必死に親友を庇うグエンの説明を聞きながら、鷹央はあごを撫でた。

「なんていうグループに入っているか聞いたか？」

グエンは「いいえ」と首を横に振る。

「ファン、教えてくれなかった。でも、タトゥーを見せてくれた」

「コウモリのタトゥーか⁉」

鷹央は椅子から腰を浮かす。その勢いに驚いたのか、グエンは軽く身を反らした。

「そうですそうです。そのタトゥー、グループのシンボル言ってた。それ描かないと、グループに入れなかったって」

予想通り、オガサワラオオコウモリのタトゥーは反社会組織の一員であることを示すものだった。では何故、その反社会組織のメンバーが全身の血液を抜かれるという、異常な方法で殺されているのだろう。敵対組織による見せしめなのだろうか。

事件の核心に近づいてきている気はする。しかし、真相はいまだ深い霧の中で、その輪郭がぼやけていた。

「ファンはお前に、他にもなにか言ったんじゃないか。ただ、自分の状況を教えるだけなら、電話なり手紙なりでいいはずだ。そうではなく、顔を合わせ、目を見て伝えなくてはならないような重要な話があったんじゃないか？」

鷹央はテーブルに両手をついて前傾すると、睨め上げるようにグエンを見る。

「例えば、自分が所属している犯罪グループに入らないかと、お前を誘ったとか」

「いいえ、違います。反対です」

「反対？」

鷹央がいぶかしげに聞き返すと、グエンは辛そうに「そうです」と頷く。

「ファン、言いました。絶対に自分がいるグループ入るなって。一度入ったら、おしまい。お金はもらえるけど、その代わり、危ないこと、悪いことといっぱいさせられる。嫌だけど、ノーって言えないって」

「なるほど、親友に自分のようにならないよう、警告しに来たというわけか」

鷹央は背もたれに体重をかけると、腕を組んだ。そのとき、マスターが「お待たせしました」と、グエンの前にBLTサンドとトマトジュースを置く。

「いただきます!」

グエンは両手を合わせて深々とお辞儀をすると、BLTサンドを手に取り、勢いよくかぶりついた。一分もしないうちにBLTサンドを二切れ胃に収めたグエンに、鷹央は「なあ」と声をかける。

「親友に必死に警告するぐらいの悪環境なら、そこから逃げ出そうとは思わなかったのか。不法滞在になっているので正規の仕事は難しいだろうが、それでも日雇いなどの身分証明が必要ない労働は可能なはずだ」

「グループ抜けるは、絶対できないって言いました。ファンすごく怖がっていた。もし、グループ裏切ったら殺されるって」

「殺される⁉」

鷹央の声が大きくなる。僕と鴻ノ池も目を大きくした。

被害者たちは敵対組織に殺害されたのではないかと思っていた。しかし、グエンが言っていることが本当なら、組織内で粛清された可能性が出てくる。

「ファンは本当に『殺される』って言ったのか？」

鷹央が低い声で訊ねると、グエンは気を落ち着かせるようにトマトジュースを一口飲んだあと静かに答えた。

「はい、言いました。不思議じゃありません。……この国では、僕たちの命はすごく安いから」

5

「粗茶ですが」

スーツを着た人の好さそうな中年の男が、大きな流木から切り出したかのようなローテーブルに湯呑を並べていく。蒸された茶葉の香りが鼻先をかすめた。

長崎製作所で話を聞いてから六日後の土曜日、午後七時過ぎ、僕たちは飯田橋の商業ビルにある、やけにものが少ない閑散とした部屋のソファーに腰かけていた。ここがグエンが持っていた名刺に書かれていたＮＰＯ法人、『技能実習１１０番』の事務所だった。

「なんだ、茶菓子はないのか？」

失礼なことを言う鷹央の脇腹を、隣に座る僕は軽く肘でつついた。

「なにすんだよ」

鷹央は思い切り勢いをつけて、僕の肝臓に肘鉄を突き刺す。一瞬、息が詰まり、口から「ぐふっ」という音が漏れてしまう。

「どうしましたか？」

このNPO法人の代表である宮内が驚いて訊ねてくる。僕は脇腹を押さえて「少しむせただけですので、ご心配なく」と鷹央を睨むが、彼女は知らん顔でそっぽを向くだけだった。

「すみません、実は事務所の移転中でものがあまりなくて……。それで平日は忙しく、なかなかお目にかかることが出来ず、申し訳ありませんでした。あ、そうだ」

宮内は両手を合わせると、部屋の奥にあるデスクの抽斗から袋を取り出した。

「これはバインダウサインというものです。緑茶に合うかは分かりませんが、よろしければどうぞ」

宮内が袋を破くと、中には指でつまめるサイズの四角いカステラのようなお菓子が入っていた。

「へー、美味しそう。頂きます」

鴻ノ池が手を伸ばして一つつまみ上げると、口の中に放り込む。

「あ、甘くて美味しい。なんだか、ちょっと懐かしい味」

「ベトナムの伝統的な茶菓子だな。緑豆を粉状にして、それに砂糖、油脂、バニラエッセンスなどを混ぜて固めたものだ」

　鷹央も一つ口に入れると、目を閉じて幸せそうに味わう。僕もそれに倣い、「頂きます」と一つつまんだ。口の中に入れると同時に、ほろりと柔らかく菓子が崩れ、きな粉のような柔らかい甘みが、バニラの香りとともに広がっていく。

「その通りです。お詳しいですね。ベトナムに行ったときはいつもお土産に買ってくるんですよ。日本人の口にも合うようで好評ですので」

　宮内は嬉しそうに微笑んだ。

「よくベトナムには行かれるんですか？」

　僕の問いに、宮内はあごを引く。

「ベトナムだけではありません。タイ、フィリピン、カンボジア、シンガポール、東南アジアの様々な国に定期的に行っています」

「へー、すごいんですねぇ」

　適当な相槌を打ちながら、鴻ノ池は鷹央とともにお菓子を次々に口に運んでいく。

　……少しは遠慮しろよな。

「昔は商社で働いていて、入社後すぐ東南アジア各国と木材の取引を専門に行う部署に所属しました。右も左も分からず戸惑うばかりの私に、現地の人々は親切にしてくれました。もちろん、全員が善人というわけではありません。犯罪に巻き込まれたこともあります。けれど、そんなとき助けてくれたのも、そこに住む方々でした」

その頃の記憶を思い起こしているのか、宮内は天井を見つめる。

「私が東南アジアで見た犯罪の大部分は、貧困によるものでした。生活に困り、犯罪組織に入っていく以外に生きる選択肢がない若者をたくさん見てきました。きっと国が豊かになれば、彼らは犯罪なんかに手を染めないで済む。そのための技術を学ぶために作られた制度が技能実習です。その理念は素晴らしい。経済発展のために必要な人材を育成するんですから」

「だからこそ、その外国人研修生をサポートする活動をしているというわけだな」

「はい、そうです。すみません、なんだか語ってしまい。あらためまして、NPO法人『技能実習110番』の代表、宮内と申します」

テーブルを挟んで向かいの古ぼけたソファーに腰掛けた宮内は、慇懃に頭を下げる。

「本業のかたわら、外国人技能実習生の相談などに乗っているということか」

鴻ノ池とともに、瞬く間にお菓子を全部食べ尽くした鷹央は、唇についた菓子の粉を舐めると、緑茶を一口すすった。

「ええ、そうです。NPOはあくまで非営利法人ですので、活動は本業が休みの週末がメインですね。ただ、緊急性がある案件は受け入れるようにはしています」

「緊急性がある案件とは、具体的には？」

　鷹央が訊ねると、宮内の表情が引き締まった。

「皆さん、技能実習制度についてはどの程度、ご存じですか？」

「一九九三年に導入された制度だな。『技能実習』という在留資格で、外国人が報酬を伴う実習を受けることが可能になった。理念としては、日本がもつ技能や知識を途上国に移転させて、それらの国の経済発展に寄与できる人材を育てるというものだ」

「その通りです」宮内は重々しく頷いた。「先ほどもお伝えした通り技能実習制度の基本理念は素晴らしいものです。しかし、やがてその制度を悪用する者たちが出てきました。外国人研修生を実習のためではなく、『安価な労働力』として、違法な低賃金で長時間労働を強いるケースが増えてきたんです。パスポートを取り上げ、奴隷のように働かせることすら珍しくなくなってきています」

「ひどい……」鴻ノ池が眉間にしわを寄せる。

「ええ、とてもひどい状況です。重大な人権侵害で、海外からも非難されています。『人身売買に等しい』という強い声明が発されることもあるくらいです」

「それって、国が取り締まるべきじゃないですか？」

　僕の言葉に、宮内は弱々しくかぶりを振った。

「たしかにその通りですし、行政も対応していないわけではありません。ただ、あまりにも違法なケースが蔓延(まんえん)してしまって、すべてに対処できていないのが実情です。それに、研修生側の意識の問題もあります」

「研修生側の意識？」鴻ノ池が小首をかしげる。

「はい。最初から技能を学ぶためではなく、出稼ぎをする目的で日本にやってきている研修生も少なくないんです。日本では違法な低賃金でも、物価が大きく違う研修生たちの母国からすれば、かなりの大金になります。安価な労働力を欲している中小企業と、海外での働き口を探している海外の若者の利害関係が一致してしまうことがあるんです。そうなると、研修生自体が口を閉ざしてしまうため、摘発が難しくなります」

「ファン・チェットもそのタイプだったのか？」

ファンの名前を聞いて、宮内の顔に緊張が走る。

ファン・チェットの話を聞きたいということは、前もって宮内に伝えていた。長崎製作所をあとにしてからすぐ、宮内に電話で連絡を取って話がしたいと言ったときには、あまり色よい返答を得られなかった。しかし、かつて面談をしたファン・チェットが犯罪に巻き込まれている可能性があるので調べていると伝えると、週末の今日なら時間を取れると答えてくれた。おそらく、宮内もファン・チェットの状況について情報が欲しいと思っていたのだろう。

　ちなみに、それらの面倒なやり取りは全部、鷹央から押し付けられた僕がやっていたりする……。

「ファン君はベトナムに両親と四人の弟妹がいます。そして、その家族の収入の大部分はファン君からの仕送りでした」

「つまり、ファンが一家の大黒柱として家族を養っていたというわけだな。もしその収入が途絶えたら、家族はかなり厳しい状況になる」

「はい、その通りです。指の怪我を労災にしてもらえなかったせいで、彼は補償を受けられなかったどころか、失業の危機に陥っていました。勤め先の社長に何度も、指が不自由でも可能な仕事に替えて欲しいと懇願しましたが、『わがままを言うなら辞めろ』と取り付く島もなかったそうです」

　僕は六日前に会った長崎を思い出す。外国人に対して差別的な言動が多かったあの男なら、そんな非情な宣告をしても不思議ではない。

「ファン君は長崎製作所の研修生として滞在が許可されています。そこをクビになれば、国内での就労はできず、ベトナムに帰るしかありません。それを恐れて、彼はこのＮＰＯ法人に相談に来たんです」

「お前はどんな対応をしたんだ？」

鷹央の問いに、宮内は髪を掻き上げる。

「労災を申請しないように指示をしたことや、『見習いだから』と週末に無償の労働を強要するのは明らかに違法です。それを是正するように、長崎社長に私の方で直談判をしました」

「で、どうなった？」

「暖簾に腕押しといった感じでしたよ」宮内は大きなため息をつく。「どこの会社でもやっていることだ。そもそも、研修生自身が納得しているのに、他人が口を出してくるんじゃない。そう言われて追い返されました」

「それで引き下がったのか？　長崎が違法行為をしているのは確かなんだ。監督省庁に報告するべきじゃなかったのか？」

「もちろん、そうしようと思いました。けれど、ファン君に拒否されました」

「拒否された？」鷹央は眉根を寄せた。

「ええ、そうです。もし報告したりしたら、長崎製作所は研修生の受け入れを止められる。そうなれば、いまいる研修生は日本にいられなくなるかもしれない。長崎製作所で働いている他の研修生たちの中には、自分と同じように故郷に仕送りをして家族を養っている者も多い。自分の都合で彼らに迷惑をかけるわけにはいかないと言って、譲りませんでした。何度か説得しようとしたんですが、決して首を縦に振らず、やがて連絡が取れなくなりました」

「長崎製作所で働く道を諦め、非合法の仕事で稼ぐことを決めたってわけか」

「おそらく、そうなんでしょう。これまで、同じような選択をした外国人研修生が何人もいました。残念ながら、私では彼らを救うことが出来なかった」

宮内は震えるほどに強く、両拳を握りしめた。

「せっかく必死に日本語を勉強して、希望を胸に秘めてやってきたのに、結局犯罪に手を染めるしか選択肢がないなんてひどすぎます」

「非合法の仕事とは、具体的にはどんなものなんだ？」鷹央は質問を続ける。

「多いのは違法薬物の売買ですね。あとは特殊詐欺や窃盗、場合によっては……強盗などの実行犯になることすらあります」

「どれも、それなりに大きな犯罪だな」

「けれど、外国人研修生たちはあくまで、犯罪組織の『駒』として使われることがほとんどです。彼ら自身は大きなリスクを負うにもかかわらず、雀の涙ほどの報酬しか受け取れない。儲けるのは、組織の上層部だけという構造ですよ」

弱々しく首を横に振る宮内の姿からは、強い無力感が伝わってきた。

「その上層部というのは、日本人なのか？」

「それは色々ですね。日本人の反社会組織の場合もあるし、外国マフィアの場合もあります。ただ、この国で組織的な犯罪をする以上、組織の運営には多かれ少なかれ、日本人がかかわっていることがほとんどです。この国の人間が、海外から夢を持ってやってきた若者を喰いものにしているんですよ」

語りつかれたのか、宮内は大きく息をついた。

「なるほど、いろいろと勉強になった。ところで、このタトゥーに見覚えはないか？」

鷹央はキュロットスカートのポケットから、タトゥーをいれたファンの写真を取り出し、テーブルに置いた。

「これは、……ファン君？　このコウモリのタトゥーですか？」

宮内はいぶかしげに目を細める。

「そうだ。いま警察が捜査している事件に、そのタトゥーをいれた外国人が関係している。なにか知らないか」

「いえ、残念ながら心当たりがないです。ただ、東南アジアの犯罪組織では、メンバーにこのようなタトゥーを彫ることが強制されることが少なくありません」

「となると、外国マフィアの可能性が高いか」

鷹央はあごを引くと「それで……」と上目遣いに宮内に視線を送る。

「そのような犯罪組織で、メンバーの裏切りが発覚したり、組織を危険に晒す大きなミスをした奴が出た場合、どうなる？」

「どうなるって、それは当然……見せしめに殺されるでしょうね」

「どんな方法で？」

「どんな方法？　それは……、銃で撃たれるとかじゃないですか？　もしくは、違法臓器移植に使われることもあるという噂も聞いたことがありますが……」

宮内の顔に戸惑いが浮かぶ。そのとき、腰のあたりから振動が伝わってきた。僕はジーンズのポケットから、振動するスマートフォンを取り出した。液晶画面には『桜井さん』の文字が躍っている。

僕は「ちょっとすみません」と席を立つと、鷹央の情報収集の邪魔をしないように部屋の隅に移動して『通話』のアイコンに触れる。

「はい、小鳥遊です」

口元に手を添えて僕が小声で言うと、やけに深刻な桜井の声が聞こえてきた。

『小鳥遊先生、いまちょっとよろしいでしょうか？』

「はい、大丈夫ですけど……」

不吉な予感をおぼえながら、僕は桜井の話に耳を傾ける。『実は……』と桜井が語り出した内容を聞いて、バットで殴られたかのような衝撃が頭に走った。

「鷹央先生！」

声を裏返して叫ぶと、さらに宮内から情報を聞き出そうと質問を重ねていた鷹央が、険しい顔で振り返る。

「なんだよ、うるさいな。急に大声出すなよな」

「いま桜井さんから連絡があって……。大変なことが……」

「大変なこと？」

鷹央の声が低くなる。僕はうなずくと、ゆっくりと口を開いた。

「ついさっき、また久留米池公園で遺体が見つかったそうです。外見的な特徴からおそらく……ファン・チェットさんの遺体だということです」

第二章　水晶の吸血鬼

1

桜井から一報を受けた僕たちは、すぐに宮内の事務所をあとにして、ＣＸ－８を飛ばして久留米池公園のそばまでやってきた。近所のコインパーキングで車を停め、鷹央を先頭に公園へ向かっている。

時刻は午後十時を過ぎている。普段なら夜には人気が少なくなる閑静な住宅街も、今日はやけにざわついていた。

「こんな時間に、かなり人がいるな。騒ぎに気づいた住人が出てきているのか」

早足で進みながら、鷹央がつぶやく。

「みんな不安そうですね」

「そりゃあそうだよな。すぐ近くで、二つも遺体が見つかったんだから。しかも、前の遺体が見つかってからまだ二ヶ月ぐらいしか経っていない」

　僕は鷹央のあとについていきながら、人々の顔を見回していく。

　コインパーキングから三分ほど歩いて、久留米池公園の入り口に到着した。十数人の野次馬の隙間から、黄色い規制線とその前に立つ制服警官が見える。

　鷹央は野次馬を強引に掻き分けていくと、ためらうことなく規制線を越えた。

「ちょ、ちょっと、一般の方は中には入れませんよ」

　あわてて立ちはだかった制服警官に、鷹央は鋭い視線を送った。

「私は『一般の方』ではない。『警察関係者』だ」

　いや、それはどうかと……。鴻ノ池とともに追いついた僕が頬を引きつらせるのを尻目に、鷹央は胸を張って言葉を続ける。

「私は警察から正式に依頼を受け、吸血鬼連続殺人事件の捜査を行っている。だから当然、中に入って現場を調べる権利がある」

「あれって『正式な』依頼だったんですか……？」

　鴻ノ池がぼそりとつぶやくが、鷹央は気にすることなくまくし立て続けた。

「疑うなら、警視庁捜査一課の桜井か、田無署の成瀬に確認をとればいい。なんにしろ、押し問答していても時間の無駄だ。私は行くぞ。ほら、お前たちも来い」

　振り返った鷹央は手招きすると、戸惑い顔で無線で確認をとろうとしている制服警官を押しのけて、公園の奥へと進んでいく。

「……行くしかないか」

「ですね」

僕と鴻ノ池は首をすくめて「失礼します」と規制線をくぐり、鷹央を追う。背後から「ちょっと待って」と声が追いかけてくるが、聞こえないふりを決め込んだ。

暗い林の中に伸びている遊歩道を僕たちは進んでいく。樹々の隙間から、この公園の中心に広がっているひょうたん型の巨大な池の、漆黒の水面が見えた。

昼には木漏れ日の中で多くの人々が散歩をしている遊歩道と、多くのカップルや家族がボートを漕いで楽しんでいる池。しかし、いまは闇に覆われ、不気味で妖しいもう一つの顔を見せていた。

「な、なんか本当に吸血鬼とか出てきそうな雰囲気ですね」

せわしなく辺りに視線を送りながら、鴻ノ池が上ずった声を絞り出したとき、近くの木に巣でもあるのか、カラスの鳴き声が響いた。鴻ノ池は「きゃ⁉」甲高い悲鳴を上げると、僕の腕にしがみついてくる。その手を僕は反射的に振り払おうとした。

「ちょっ⁉　なんで逃げようとするんですか？　こういうとき、普通は女の子を守ろうとするもんじゃないですか⁉」

「何度、投げ飛ばされていると思っているんだよ。お前に摑まれると怖いんだよ」

「もう一度振り払おうとしたら、本当に投げますからね」

僕たちが言い合っていると、前を歩いていた鷹央が足を止め振り返った。

「……なにいちゃついているんだ、お前ら」

「いちゃついてなんかいません！」

僕と鴻ノ池の声が重なる。

「どうでもいいが、現場が見えてきたようだぞ」

鷹央が前方を指さす。数十メートル先の林の中に明かりがともっている。おそらく、鑑識が遺体やその周囲を調べるために、投光器を使っているのだろう。刑事らしき男たちがいるのも見える。

光と人を見て安心したのか、鴻ノ池が僕の腕を放した。投げられる恐怖から解放された僕と、怪物の恐怖から解放された鴻ノ池が同時に安堵の息を吐く。

「……なんか、やけに息が合ってるな、お前たち」

鷹央がやけにじっとりした視線を浴びせかけてきた。

「合っていません！」

再び、僕と鴻ノ池の声がハーモニーを奏でたとき、さっき公園の入り口に立っていた制服警官が「待って下さい！」と、息を切らせながら走って追いついてきた。

「ああ、さっきのやつか。桜井か成瀬に連絡できたか？」

「いえ、ちょっといまは現場がごちゃごちゃしているようで……。あの、少なくとも確認が取れるまでは待ってもらえませんか」

　警察官が首をすくめると、鷹央は苛立たしげにウェーブのかかった髪を掻き上げた。

「犯罪現場っていうのは、寿司のようなものなんだ。意味が分かるだろ」

「いえ、あの……、分かりません……」

　警察官が助けを求めるような視線を送ってくるが、僕は気づかないふりを決め込む。いくら普段から鷹央に接している僕でも、彼女の独特の感性から繰り出される比喩を完全に理解することなど、どだい不可能なのだ。というか、一般人と感性が違いすぎる鷹央は、比喩表現のセンスが致命的に欠けている。

　なんだよ、犯罪現場が寿司って……。僕が内心で突っ込みを入れていると、鴻ノ池が「そのこころは?」と合いの手を入れる。

「犯罪現場も寿司も鮮度が重要だっていうことだ。いくら握りたては美味い寿司でも、時間が経つにつれてネタは乾き、シャリは固くなっていき、そしてついには腐ってしまう。同様に、犯罪現場に残された手がかりも、時間が経つにつれて劣化していき、やがて消えてしまうんだ」

　得意げに言う鷹央の分かりにくいことこのうえない説明を聞いて、警察官は「はあ」と相槌なのか、それともため息なのか分からない声を漏らす。

「だからこそ、刑事たちを遥かに凌駕する知能を持つ私に、一刻も早く現場を捜査させる必要があるんだ。分かったな？　分かっただろ」

「いえ、その……。あまり……」

「ああ、まどろっこしいな。いいか、ここで私を止めたりしたら、お前はあとで成瀬とかにどやされるかもしれないんだぞ」

いや、それはどうかなぁ……。僕は内心でつぶやくが、口に出したところで、暴走をはじめている鷹央を止められるわけもないので黙っている。

「どうせ、あそこに成瀬や桜井もいるんだろ。直接確認すればいい。ほら、行くぞ」

警察官を促して、鷹央は意気揚々と明かりが灯っている林の中へと進んでいく。あまりにも堂々とした態度に圧倒されたのか、警察官はもはや反論もできず指示通りに僕たちとともに鷹央のあとを追った。

いかついスーツ姿の男たちが立っているのが見えてくる。間違いなく刑事たちだろう。よく見ると、成瀬と思われる後姿も見えた。

彼らの隙間から、倒れている裸の人物の周りで鑑識がせわしなく写真を撮ったり、遺留物を探しているのが確認できた。

鑑識が完全に調べ上げるまで、刑事であろうとも遺体に近づくことはできない。早く現場をしっかり見たくて、刑事たちがやきもきしているのが遠目にも分かった。

鷹央は迷うことなく樹々の間をすり抜けていくと、成瀬の隣に立つ。

「あれが見つかった遺体か」

鷹央の肩越しに、僕も十数メートル離れた場所にある遺体を眺める。ボクサーパンツだけを身に着けた若い男が、うつぶせに倒れていた。その右肩には、大きく翼を広げたオガサワラオオコウモリのタトゥーが刻まれている。

意志の光を失った濁った双眸で、恨めしそうにこちらを見つめている遺体の顔を見て、僕は唇を嚙む。それはタトゥースタジオで手に入れた写真で何度も見た顔だった。

「間違いなくファン・チェットの遺体だな。発見したのはまたホームレスか？」

鷹央が問いかけると、成瀬は「いいえ」と遺体を凝視したまま答える。

「今回は犬の散歩をしていた近所の住人が発見しました。犬が突然、吠えて走り出したので、驚いてリードを離してしまったそうです。走っていった飼い犬を追って公園に入ったところ、この遺体を発見しました」

「なるほど。犬が人間の血の匂いに気づいて駆け付けたってところか。ところで、よく見ると首筋に傷のようなものが二つかすかにあるな。そして、その周りに血液の跡がある。ということはやはり死因は……『あれ』か」

「はい。正式な結果は司法解剖を待たないと分かりませんが、検視官の見立てでは失血死の可能性が極めて高いと……」

そこまで言ったところで、成瀬は言葉を止めると、正面に向けていた視線を隣に立つ鷹央へと向ける。その目がぱちぱちと、まばたきをくり返した。

「天久先生⁉」

「ああ、天久先生だ。どうした、そんなでかい声を出して」

「どうしたって、なんであなたがここにいるんですか⁉」

「現場を調べるために決まってるだろ。さて、もう少し近くで見るとするか」

そそくさと遺体に近づこうとする鷹央のシャツの後ろ襟を、成瀬が摑んで止めた。

「なにすんだよ！　シャツが伸びるだろ」

「あなたこそ、いったい何をするつもりなんですか！　ここは事件現場ですよ。部外者が入れるわけがないでしょ」

手を放した成瀬が、声を荒らげる。

やっぱり、どやされるのは警察官じゃなくて鷹央先生だったか……。予想通りの成り行きを、僕は一歩引いた位置で見守る。

「部外者？　なに言ってるんだ？　先週、お前たちが正式に私に捜査依頼に来たじゃないか。私はれっきとした関係者だ」

「あんなものが、『正式』なわけないでしょ。桜井さんが勝手にやっているだけです。それくらい常識で分かるでしょ」

「常識ってなんだよ。そんなものに囚われているから、お前たちはいつも『常識外れ』の事件で迷宮入りしかけて、私に泣きついてくるんじゃないか」

成瀬は一瞬言葉に詰まる。その隙をつくかのように、鷹央は身を翻した。

「あっ、こら、待て！」

「『待て』と言われて待つ馬鹿がどこにいる」

鷹央は短い足をちょこまかと動かし、立っている刑事たちの間をすり抜けていく。普段のナマケモノのような緩慢さからは想像もつかない俊敏さだった。

「いい加減に……」

ハムスターのように走る鷹央を捕まえようとした成瀬だったが、そのがっしりとした体格が災いして他の刑事とぶつかり、抱き合うようにして倒れてしまう。

これ、下手したら逮捕されるんじゃ……。

「もしかして、鷹央先生を置いて逃げた方がよかったりします？」

鴻ノ池が顔を引きつらせながら訊ねてくる。

「なんか、そんな気がするな……。よし、逃げよう」

即決した僕がそっとその場からの離脱を試みようとしたとき、倒れている成瀬が顔を紅潮させ、怒りに満ちた視線を向けてきた。

「なにを、ぼーっとしているんですか！　あなたがた、天久先生のお守りでしょ！

さっさとあの人を止めて下さい。さもないと、逮捕しますよ！」

あ、鷹央先生を止めれば、（少なくとも僕は）逮捕されないんだ。

「鷹央先生を置いてくなんて、できるわけがないだろ。行くぞ、鴻ノ池」

「……ラジャー」

僕と鴻ノ池は柔らかい地面を蹴って鷹央を追っていく。なぜか僕を見る鴻ノ池の視線に軽蔑の色が浮かんでいる気がするが、気にしないことにする。

鷹央は遺体から数メートルほどの距離で足を止めると、ネコのような大きな目を、さらに大きくする。必死に証拠物を探している鑑識の邪魔をしないようにするくらいの理性は残っていたようだ。それに、もともと視力がよく、さらに夜目も利く鷹央なら、その距離でも十分に遺体の様子を観察できるのだろう。

「明らか……な……、外傷は……見当たら……ないな。ただ、首にある二つの……小さな傷は……、他の被害者と……一致……」

肩を大きく上下にゆらし、息も絶え絶えになりながら鷹央は声を絞り出す。どうやら、わずか十秒足らずの全力疾走で、完全に息が切れているらしい。

「鷹央先生、もう戻りましょう。本当にヤバいですって」

僕が追いつくと、鷹央はシニカルに唇の端を上げて、遺体を指さした。

「あれを見……」

　そこまで言ったところで、鷹央は大きくむせた。体をくの字に折って、何度も大きな咳をする鷹央の背中を、鴻ノ池が撫でる。

「息が乱れているのに、頑張って喋ろうとするからですよ。ほら、ゆっくり深呼吸して。やっぱり鷹央先生、運動不足ですって。捜査のためにも体力をつけた方がいいから、今度一緒にジム行きましょうね」

　心の底から嫌そうな顔になった鷹央は口を開きかけるが、再び激しくむせた。

「嫌って言わないってことは、オーケーですね。それじゃあこの事件が解決したら私が連れて行ってあげますね。よし、決定」

　勝手に話が進んでいくことに絶望の表情を浮かべた鷹央だが、気を取り直したかのように遺体を指さす。

「手……、手をよく見ろ」

「手？」

　目を凝らした僕は、遺体の右手の甲に小さく丸まったゴミのようなものがついていることに気づいた。クレジットカードほどの大きさの四角い透明なビニールの周囲を、一センチほどの白い布製のテープが縁取っている。

「あれって……」

　口を開きかけた僕を睨み、桜色の唇の前で人差し指を立てた鷹央の後ろ襟が、再び大きな手に摑まれる。

「……いい加減にして下さい」

　鷹央を捕まえた成瀬が、地獄の底から響いてくるような低くこもった声で言う。彼のYシャツには転倒した際についた土がべったりとついていた。

「公務執行妨害で、本気で逮捕しますよ」

「ほう、逮捕か。やれるもんならやってみろ。それなら、レディの服を引っ張っているお前を強制わいせつ罪で告訴してやるからな」

　ふてぶてしい鷹央の態度に、成瀬の顔がみるみる歪んでいく。

「これは、あなたを捕まえるための正当な行為です。そんなちゃちな脅迫に、刑事である俺が屈するとでも思っているんですか」

「ちゃちな脅迫か。では、こういうのはどうだ？」

　鷹央は皮肉っぽく目を細めると、周りの刑事たちに聞こえないように声を潜めた。

「もし逮捕されて送検されたら、お前が民間人である私に捜査情報を漏らして、謎を解いてもらっていることを検事にばらすぞ」

　成瀬は「なっ……」と顔を引きつらせ、鷹央の後ろ襟を離した。

「事件解決のために搦手を使うのは、あの腹黒タヌキの桜井をはじめ、多くの刑事がやっているだろう。けど、頭の固い検事がそれをスルーしてくれるかな？　もしかしたら大問題になるんじゃないか？」

成瀬の表情筋が細かく痙攣していくのを見て、鷹央は勝ち誇るように胸を張る。

「そ、それなら……」

「それなら、なんだ？　言ってみろ」

いやらしい笑みを浮かべる鷹央を睨みながら、成瀬はゆっくりと口を開いた。

「それなら、あなたのお姉様に報告させて頂きます」

「ね、姉ちゃん⁉」

今度は鷹央の顔が引きつる番だった。その反応を見て、成瀬が勢いづく。

「ええ、そうです。あなたが警察の捜査の邪魔をして困っている。どうにか注意してくれないかと伝えます」

「ひ、卑怯だぞ、脅迫するなんて！」

……どの口が言っているのだろうか。

「卑怯でもなんでもかまいません。お姉様に叱られたくなかったら、すぐにこの現場から帰って下さい」

「姉ちゃんの折檻は、『叱る』とかいうレベルじゃないんだ。もっと恐ろしくて……」

鷹央は自らの華奢な両肩を抱くと、がたがたと震えはじめる。記録映画で見た、戦場のフラッシュバックに苦しむＰＴＳＤの帰還兵がこんな感じだったな……。

「分かったら、とっとと……」

勢い込んだ成瀬がそこまでいったとき、「どーもどーも」という、場違いに明るい声が響き渡った。振り向くと、夏だというのにしわの寄ったコートを羽織った猫背の中年男が、軽く手を挙げながら近づいてきていた。

「いやあ、まさか事件現場に突撃してくるとは。さすがは鷹央先生、素晴らしい行動力です。私のような常識人にはとても真似できません」

桜井の皮肉に気づくことなく、鷹央は「まあな」と得意げに鼻を鳴らす。

「ただし、さすがにここは我々、警察の仕事場です。いまはお引き取り下さいな」

「なんでだよ！　私の頭脳はお前たちを遥かに凌駕している。私の脳がスーパーコンピューターだとしたらお前たちの脳は安物の卓上計算機、ぐらいのスペック差がある。私が調べた方が吸血鬼連続殺人事件の解決が早まるぞ」

鷹央という闖入者に唖然としていた刑事たちが一斉に気色ばんだ。

鷹央に悪気はない。たしかに常人と鷹央の知能には、もはや同じ種とは思えないほどの大きな隔たりが存在する。彼女はその事実を指摘したに過ぎない。ただ、その桁違いの知能と引き換えに、自らの脳髄を『安物の卓上計算機』に例えられた相手がどのような感情を抱くのかを予想する能力が、鷹央には欠損しているのだ。

危険な雰囲気が辺りに満ちはじめる。

「……桜井さん、そいつは誰なんですか？」

恰幅のいい中年刑事が、険しい顔で桜井に話しかける。

「こちらは天久鷹央先生だよ」

対照的に軽い声で桜井が答えた瞬間、男の口があんぐりと開いた。

「『これ』があの？」

「そう、あの天久鷹央先生」

……どのだよ？　僕が内心で突っ込みを入れていると、周りにいた刑事たちがぞろぞろと集まってきた。

「な、なんだよ……」

十数人の刑事に取り囲まれた鷹央は、さすがに怯えた様子で視線を彷徨わせる。

「小鳥先生、助けなくていいんですか？」

声をかけてくる鴻ノ池に、僕は「必要ないだろ」と肩をすくめる。刑事たちの顔からは怒りの色が消え去り、代わりに好奇心が浮かんでいた。完全に『珍獣』を見る顔だ。

「こんなに小さいのか」

「これで本当に大人なのか？　女子中学生にしか見えないぞ」

「というか、言動がなんとなく、うちの反抗期の息子と似ているな」

「息子さん、いま何歳になったんだ？」

「小学五年生だ」

　刑事たちは動物園でパンダを見る子供のような雰囲気で鷹央を観察しながら、彼女の逆鱗に触れる単語を次々に口にする。そのたび、鷹央の顔の赤みが増していった。

「うっさいうっさいうっさい、うっさーい！」

　癇癪を起こした鷹央が地団太を踏む。しかし刑事たちは、アシカがボールの上に乗る芸をしたかのように、「おおっ」と小さく歓声をあげるだけだった。

「はいはい、解散解散。鷹央先生は見世物じゃないよ」

　桜井が両手を打ち鳴らすと、刑事たちは満足げな表情でぞろぞろと離れていく。

「なんだったんだ、いまのは⁉」

　鷹央が怒鳴ると、桜井は「見たままですよ」とこめかみを掻いた。

「言っているじゃないですか。迷宮入り寸前だった難事件をいくつも解決した鷹央先生……、というかタカタカペアは所轄署だけでなく警視庁捜査一課の中でも話題になっているんですよ」

『珍獣』扱いされていたのは、鷹央先生だけでなく僕もなのか……。

　肩を落としながら僕は、「だから、そのタカタカペアっていうの、やめて下さい」と何度目か分からない抗議をする。

「呼び名なんてどうでもいい！　それより、名が知れ渡っているということは、ここにいる刑事たちは私の推理能力も分かっているということだろ。なら、私も一緒に現場を観察しても問題ないだろ」

「いいえ、大問題です」

桜井の表情が引き締まる。弛緩していた周囲の空気が一瞬で張り詰めた。呆れ顔を浮かべていた鑑識たちも慌てて自分たちの仕事に戻る。

「な、なんでだよ？」

急に態度が変わった桜井に気圧されたのか、鷹央はわずかにのけぞった。

「『謎を解く』だけなら、たしかに鷹央先生にこの現場をつぶさに調べて頂いた方がいいでしょう。けれど、我々の仕事はこの事件を『解決』することです」

「……どういうことだ？」鷹央の眉間にしわが寄った。

「つまり、我々の目的は似て非なるものだということですよ。鷹央先生は今回の事件でなにが起きているのか、その真相を解き明かしたい。しかし我々は、ただ真相を解くだけでは不十分なんです。犯人を逮捕し、送検し、起訴し、そして有罪の判決を下して罪を償わせたいんですよ」

鷹央がはっとした表情を浮かべる。

「ご理解頂いたようですね。たとえ真相が明らかになって犯人を逮捕できても、起訴して有罪にできるだけの証拠がなければ、意味がないんです。そして、いま鑑識はその『証拠』を必死に探している。しかし、もし部外者である鷹央先生がこれ以上、遺体に近づいたりしたら、なにか証拠品を見つけたとしても無意味になる。裁判になったときに弁護士が指摘するでしょうからね。『それは遺体発見現場に乱入した一般人が持ち込んだ、捏造された物証である可能性がある』と」

「私は捏造なんてしない！」

「ええ、しないでしょう。私には分かっています。鷹央先生のことをよく知っていますので。けれど、裁判官や裁判員は鷹央先生を知りません」

鷹央は桜色の唇を嚙んだ。

「そう、外国人の若者を何人も殺した鬼畜を確実に法で裁き、そして吊るして命をもって罪を償わせるためには、決められた手順をしっかりと踏む必要があるんです。というわけで、誠に恐縮ですが一般人である『天久鷹央と愉快な仲間たち』は、今日のところはひとまず情報は諦めて退場して頂き、私があらためてお話しに行くのを待っていてもらえませんでしょうか」

慇懃に言うと、桜井は左手を胸に当てて芝居じみた仕草で一礼しつつ、右手でもと来た道を指した。

誰が『愉快な仲間たち』だ。僕が唇をへの字にしていると、俯いた鷹央がとぼとぼと引き返していく。僕と鴻ノ池もそれに倣った。

「近いうちに病院にうかがいますので、少しだけ待っていて下さい」

桜井の声が背中から聞こえてくる。しかし、鷹央は全く反応することはなかった。

「鷹央先生、大丈夫ですか？」

鴻ノ池が訊ねると、鷹央は地面を見たまま足を早めて現場から離れていく。

「あの、そんなに落ち込まなくても……」

心配そうに声をかけていた鴻ノ池の言葉が止まる。俯いたままの鷹央の口元に、笑みが浮かんでいることに気づいて。

刑事たちの姿が樹々の向こう側に隠れるくらい十分に離れたところで、鷹央は足を止めて顔を上げる。そこにはシニカルな笑みが浮かんでいた。

「桜井のやつ、なにが『情報を諦めて』だ。目が節穴のボンクラ刑事どもと私を一緒にするなよ。十分に情報は集まった。だろ、小鳥？」

話を振られた僕は苦笑する。

「ボンクラは言いすぎですって。普通の人から見たら『あれ』なんて、たんなるゴミにしか見えませんからね」

「『あれ』ってなんですか？　どういうことですか」

目をしばたたく鴻ノ池に、僕は肩をすくめながら告げた。

「次に調べるべきところが分かったってことだよ」

2

「はじめまして。私、お問い合わせいただいた患者の担当をしていた、消化器内科の作田です」

見舞客がぱらぱらとまばらに行き交うロビーで、白衣を着て眼鏡をかけた線の細い中年医師が会釈をする。

「私は天医会総合病院の副院長で、統括診断部部長の天久鷹央だ。そして、これが部下の小鳥と、研修医の鴻ノ池だ」

「あだ名で僕を紹介するの、やめて下さいっていつも言っているでしょ」

両耳を手で塞いで文句を聞き流す鷹央に呆れつつ、小鳥遊です。僕は礼を返す。

「さきほど、お電話でやり取りさせて頂いた小鳥遊です。本日は日曜にもかかわらず、わざわざお時間をとって頂いて、誠にありがとうございます」

「いえいえ、気になさらないで下さい。今日はちょうど日直に当たっていたんですが、いまのところ呼び出されることもなく暇ですので」

ファン・チェットの遺体が発見された翌日の夕方、僕たちは東京都清瀬市にある北条総合病院を訪れていた。天医会総合病院に比べれば小規模だが、それでも三百床以上の病床を誇るこの民間病院は、周辺地域医療の核となっている。そしてこの北条総合病院の『周辺』には、ファン・チェットの遺体発見現場である久留米池公園も含まれていた。

昨夜、警察とひと悶着起こしたあと帰宅した僕たちは、今朝、再び鷹央の〝家〟に集合し、久留米池公園周辺の入院施設がある医療機関に、ひたすら問い合わせをした。若い東南アジア系外国人男性の患者が、行方不明になっていないかと。

昨夜、ファン・チェットの遺体に付着していた、紙テープで縁取られた四角い透明のビニール。医師である僕や鷹央には、それがなんなのか一目で分かった。

点滴針固定用のテープ。入院患者などが点滴を受ける場合、腕や手背などの静脈にプラスチック製の点滴針を留置し、必要に応じてくり返しそこから点滴することが多い。しかし、長期間点滴針を留置したままにしていると、感染が生じたり、血管から点滴液が漏れて炎症を起こしたりすることがある。そのため、縁にテープのついた透明のビニールで点滴針を固定し、いつでも穿刺部を観察できるようにするのだ。

遺体に点滴針固定用のビニールが残されていた。それはつまり、ファン・チェットが殺害される前に医療施設にいた可能性が高いということだ。

ということで、久留米池公園を中心にして、ローラー作戦でしらみつぶしに医療施設に問い合わせをすることにしたのだが、その作業が本当に大変だった。

　点滴を受けていた痕跡のある東南アジア系外国人の患者が、天医会総合病院に意識不明の状態で搬送されてきたので、身元と病歴を知りたいという名目で問い合わせしたので、断られることはなかった。しかし当然、医療機関の連絡窓口が患者の情報を一人一人細かく把握しているわけではない。確認してもらうのにかなりの時間がかかったし、鷹央は「私はこれまでの手がかりから、頭の中で真実の骨組みを構築するので忙しい」とか言って、頑として問い合わせ作業に協力しなかった。その結果、朝から午後三時近くまで、僕と鴻ノ池はひたすら電話を片手に話をしながら、鷹央がソファーで寝そべってクッキーを食んでいるのを眺めるという苦行を強いられた。

　なんの情報も得られないことに疲れ果て、そろそろ限界だと思いかけたころ、問い合わせ内容を確認してもらっていた北条総合病院から、「該当する患者が入院していた」との連絡が入った。それを聞いた瞬間、それまでずっとトドのように寝そべっていた鷹央が跳ね起き、「話を聞きに行くぞ！」と拳を突き上げたのだった。

「しかし、わざわざ病院までいらっしゃるとは思いませんでした。しかも三人で。必要なら紹介状と、検査のデータをお渡ししましたのに。もしかして、患者の状態がかなり悪いのでしょうか？　当院の対応が問題になっているとか……」

　鷹央は「んー、たしかにファン・チェットの状態はあまり良くないな」と鼻の頭を掻く。死亡しているのだから、『状態が良い』とは間違っても言えないだろう。

「ただ、安心しろ。病院の対応が問題視されているわけじゃない。ファン・チェットのことについて、詳しく知る必要があったので、直接話を聞きに来ただけだ」

「ファン？　あの患者はファンという名前だったんですか？」

作田が聞き返すと、鷹央は首をひねった。

「名前を知らなかったのか？」

「本人は『神津』と名乗っていましたね」

「こうづ？」鷹央は大きな目でまばたきをする。

「はい。私たちは勝手に神様の『神』に、津波の『津』で、神津さんと登録していました。ご本人は何度か『漢字が違う』とか言っていましたけど、ではどんな漢字なのかと聞いても、どうにも要領を得ない答えしかもらえなかったので……。そもそも、外国人の可能性が高かったので、最初から『神津』は偽名だと思っていましたが」

「漢字が違う？」鷹央はいぶかしげにつぶやいて、眉間にしわを寄せる。

僕は「あの」と作田に話しかける。

「その患者さんってコウモリのタトゥーが彫ってありましたか？」

まずはこの病院に入院していたのが、ファン・チェット本人であることを確認する必要がある。その前提が間違っていては、骨折り損だ。

「ああ、コウモリのタトゥーですね。ありましたありました。診察しようと入院着をはだけたら、やけにリアルなコウモリが目に飛び込んできて驚きましたよ」

作田は芝居じみた仕草で、両手を小さく上げた。

「入院していたのは、ファンさんで間違いなさそうですね」

鴻ノ池のつぶやきに、鷹央は「そうだな」とあごを引く。

「それで、ファンはどうして入院していたんだ？　どんな状態だった？　見舞客とかは来なかったか？　検査データでなにか異常はあったか？」

矢継ぎ早に質問をぶつけてくる鷹央に圧倒されたのか、作田は「お、落ち着いて下さい」と胸の前に両手を掲げる。

「よろしければ、電子カルテをお見せしながら説明します。その方が確実ですし」

「ああ、そうだな。それがいい。手がかりは正確であればある方がいいからな」

「手がかり……？」

「細かいことは気にするなって。それより、できればファンが入院していた病棟も見学したい。そこのナースとかにも、入院中のファンの様子などを聞きたいからな」

「病棟……ですか」作田の表情に戸惑いが走った。

「なんだ？　病棟だとなにか問題があるのか？」

「いえ、そういうわけではないんですが……。少々、お待ち下さいね」

作田は白衣のポケットから院内携帯電話を取り出して、どこかに掛ける。

「消化器内科の作田だ。ちょっと、確認してもらいたいんだけど……」

小声で数十秒通話したあと、作田は院内携帯をポケットへと戻した。

「問題なさそうです。それじゃあ、病棟にご案内しますね。こちらです」

休日で人が少ない外来待合を進んでいくと、エレベーターの前を素通りした。

「ん？　病棟は上の階じゃないのか？」

「はい、入院病棟は基本的にこの本館の三階から上にあります。ただ、神津さんが入院していたのは特別な病棟でして」

「特別な病棟？」

「病院の裏手にある別館です。こちらになります」

作田が裏口の扉を開く。その奥に広がっていた光景を見て、鴻ノ池が「わぁ」と感嘆の声を上げた。

病院の裏手に、小ぶりな野球グラウンドほどの広さの庭園が広がっていた。色とりどりの花が咲き乱れ、睡蓮（すいれん）が浮かんでいるひょうたん型の池には錦鯉（にしきごい）が泳いでいるその庭には、遊歩道が通っていて、ところどころにベンチが置かれている。

「素敵ですね。こんなお庭があるなんて羨ましい。患者さんのお散歩用ですか」

鴻ノ池は胸の前で両手を合わせる。

「そうなる予定ですが、まだ開放されていないんですよ。二年前、この土地を買い取って時間をかけて庭園に整備していって、二、三ヶ月後に完成する予定です」

「いいなぁ。ねえ、鷹央先生。うちの病院にも作りましょうよ」

「うちにも一応、患者用の庭があるだろ」

「全然クオリティが違うじゃないですか。病院の周りの土地買い取って、このレベルの庭を作りましょうって。あっ、真鶴さんにお願いしたらできるんじゃないですか？」

「姉ちゃんにそんなこと言おうものなら、何時間も正座しながら病院の収支表を読まされて、どこからそんな予算を捻出できるのか問い詰められるはめになるぞ」

　その状況を想像したのか、鷹央はぶるりと体を震わせた。

「ダメかぁ。けど、ファンさんの病棟に行くんじゃなかったんですか？」

　鴻ノ池の問いに、作田はどこか得意げに「ついて来て下さい」と庭園の中心を走っている歩道を進んでいく。作田のあとについて進み、薔薇のツルが巻き付いているドーム状の通路を抜けると、二階建ての洋館が見えてきた。作田が足を止める。

「あれが、神津さんが入院していた病棟です」

「病棟？　あんなおしゃれな建物が病棟なんですか？」鴻ノ池が驚きの声を上げる。

「ええ。ただ、普通の病棟ではありません。緩和ケア専門の病棟、つまりはホスピスになる予定です」

緩和ケア。末期がんなどの終末期の患者の心身の苦痛を取り、最期の時間をよりよく生きてもらうための治療。

「なるほどな。たしかにこの環境ならホスピスにぴったりだ。美しい自然に囲まれることで、心の苦痛が緩和されるというデータもある」

鷹央は目を細めて、池で優雅に泳いでいる錦鯉を眺めた。

「でも、予定ってことはまだ患者さんは入院していないんですよね？」

鴻ノ池が小首をかしげる。

「いいえ、本格稼働前にスタッフに慣れてもらうという意味も込めて、数ヶ月前から一人だけ、終末期の患者を受け入れて治療を行っています」

「なるほど、試運転ってやつですね」

「さて事件の手がかりを探るとするか」

鷹央の言葉に、「……事件？」と作田はいぶかしげに聞き返した。

「気にするな。それよりファン・チェットもあの緩和ケア病棟に入院していたんだな？　つまり、なんらかの疾患で終末期だったということか？」

「いえいえ、そういうわけじゃありません。そもそも、なんの疾患なのかはっきりしませんでした。検査データでは大きな異常は見つかっていませんし」

「どういうことなんだ？　最初から説明しろ。そもそも、ファン・チェットはどういう経緯でこの病院に入院することになったんだ？」

「え、えっとですね……」

迫力に圧（お）されたのか、作田はのけぞりながら喋りはじめる。

「二ヶ月くらい前の深夜、彼は救急外来にやってきて、その場で腹を押さえてのたうち回り、その夜、当直に当たっていた私が呼ばれて診察することになりました」

二ヶ月くらい前ということは、ちょうど吸血鬼連続殺人事件が始まった頃では？

「それで、診断は？」鷹央の目付きが鋭くなった。

「腹部全体に圧痛はあったものの、筋性防御や反跳痛、ブルンベルグ兆候は認めませんでした。なので、虫垂炎や憩室炎、急性膵炎（すいえん）などで腹膜炎を起こしている可能性は低いと判断しました」

「初期の虫垂炎では、腹膜刺激症状があまり出ないことも少なくないぞ」

「念のために胸腹部のＣＴを撮影しましたが、異常は見られませんでした」

「なら、尿管結石や心筋梗塞はどうだ？　それらの痛みを『腹が痛い』ととらえる患者も少なくはない」

「尿検査で潜血はマイナスでしたし、心電図も正常でした。血液検査のデータでも、白血球数やＣＲＰが上昇するような炎症所見は確認できませんでした」

作田は早口で答える。なんか、教授の試問を受けている学生みたいだな……。

「なるほどな。それで、お前はどう診断した？」

「感染性胃腸炎による、腸の過剰蠕動が原因の腹痛の可能性が高いと思いました」

ノロウイルスやロタウイルスなど、様々なウイルスによって生じる感染性胃腸炎では、病原体を早く体外に排出しようと、腸管が激しく蠕動して下痢を起こすことが多い。それが過剰になると胃腸が痙攣しだして、強い腹痛が生じることがある。

「最初に考えるべき鑑別疾患だな」

鷹央が頷くのを見て、こわばっていた作田の顔に、かすかに安堵の色が浮かんだ。

「それで、どう対応をした？」

「点滴でブチルスコポラミンを投与して、一時的に腹痛は治まりました」

腸管蠕動抑制剤であるブチルスコポラミンは、胃腸の痙攣による腹痛の特効薬だ。

「ブチルスコポラミン投与で痛みが治まったのなら、腸管の過剰蠕動による腹痛という診断は正しかったのだろうな。しかし、なぜファン・チェットは入院になったんだ？　感染性胃腸炎なら薬を処方して、帰宅させるのが普通だろ」

「ええ、もちろんそうしようと思いました。けれど、帰宅させようとしたとき、また彼が強い腹痛を訴えてベッドでのたうち回りはじめたんです。だから、このまま帰宅させるのは危険と判断し、入院させました」

「詐病だった可能性は？」

作田は「いいえ、それはありません」と、首を横に振る。

「入院を勧めても、彼はなかなかそれを了承しないで、説得に苦労しました。それに、かなり痩せていて、血色も悪かった。腸の過剰蠕動の原因として、なにか大きな疾患が隠れている可能性も十分にある。入院させて精密検査を受けてもらった方がいい。消化器内科医としてそう判断しました」

「なるほど。妥当な判断だな」

やはり単なる感染性胃腸炎だったのではないか？　痩せ細って、顔色が悪かったのは、胃腸炎で食事が十分にとれなかったことと、ひどい扱いを受けていた仕事場から逃げ出して、反社会組織の一員になるしかないところまで追い詰められたストレスによるものではないだろうか。

そこまで考えたところで、僕はふと違和感を覚える。昨夜、久留米池公園で見たファン・チェットの遺体は筋肉質で、『痩せ細っている』という印象は受けなかった。嘔吐下痢による脱水などで頬がこけるなどして痩せて見えたのか、それとも……。

僕が思考を巡らせていると、鷹央が「さて」と手を合わせた。

「それでは、最も訊きたい質問に行こう。なぜ、ファン・チェットは終末期でもないのに、一般病棟でなく、このまだ本格始動していない別館に入院していたんだ」

たしかにそれが一番の謎だ。この病棟からでは、検査のために患者を検査室まで連れていくのにもかなりの労力がかかる。心身の苦痛の除去のために入院している終末期の患者なら、ＣＴやＭＲＩなどの大掛かりな検査を受けることがほとんどないので問題ないだろう。しかし、診断をくだすために様々な検査が必要だったファン・チェットをなぜ、庭園の奥に建つホスピスに入院させたかが分からない。

「単純な話ですよ。うちの病院には閉鎖病棟がないからです」

ため息交じりの作田の回答を聞いて、鷹央の片眉がピクリと上がった。

「閉鎖病棟？　精神科で、症状が激しい患者が入院する閉鎖病棟のことか？」

「そうです。もともとうちの病院の精神科は入院病床を持っていません。精神疾患で入院治療が必要な患者は、近所の精神科病院に紹介しているんです」

「ファン・チェットは、強い精神症状を呈していたということか？」

「ええ、一応意思疎通は可能なものの、かなり強い抑うつ症状が認められ、さらに度々ひどい興奮状態に陥って大声で叫び出したりしました。また妄想にも囚われており、危険な状態でした。精神科医に診察してもらったところ、精神科病院に紹介して治療を受けさせた方がいいということでしたが、その前に消化器症状の精査をする必要がありました。ただ一般病棟に入院させると、他の患者さんに不安を与える恐れがあったので、困っていたんです」

「だから、まだ本格稼働していない別館に入院させて、一般患者とできる限り接触させないようにしたというわけか。よく、そんな許可が下りたな」

「当院の理事長が提案してくれたんです。正直、助かりましたよ」

作田はそこまで言うと、眉間にしわを寄せた。

「彼はいま天医会総合病院に入院しているんですよね？　天医会では、興奮状態に陥っていたりしないんですか？　それに消化器症状は落ち着いていますか」

「……ああ、いまは静かに寝ている。興奮したり、腹痛を訴えたりはしていない」

「それならよかった。彼がいきなり病室から消えて、ずっと心配していたんですよ」

笑みを浮かべる作田の前で複雑な表情を浮かべると、鷹央は庭の奥にある洋館に向かって歩きはじめた。

「とりあえず、ファン・チェットのカルテを見せて、詳しく説明してくれ」

「説明って言っても、私が知っていることはもうほとんどお伝え……」

作田がそこまで言ったところで、電子音が庭園に響き渡る。作田は白衣のポケットから院内携帯を取り出した。

「はい、作田です。うん……、なるほど……。分かった、すぐに行く」

通話を終えた作田は、院内携帯をポケットに戻しながら首をすくめた。

「すみません。入院患者が発熱したらしくて、呼び出されました。ちょっと行ってこないといけないので、この辺りで待っていてもらってもいいですか？」

「ああ、もちろんだ。日直医なら患者の対応が最優先だからな」

もう一度「すみません」と言うと、作田は早足でいま来た道を戻っていく。

「発熱患者の対応ってことは、診察、血液培養、抗生剤と解熱剤の指示で、三十分くらいはかかりそうですね。それまで、この庭で散歩でもしていましょうか」

僕がつぶやくと、鷹央が「なにを言っているんだ」と両手を広げた。

「手がかりを前に足踏みをする名探偵がどこにいる。それでもお前はワトソンか？」

「僕はワトソンじゃなくて、医者です！」

「ワトソンは医者だ！」

うまく返されてしまった。鷹央は「では行くぞ」と別館に向かって小走りに進んでいく。慌てて止めようとするが、すでに鷹央は庭園の一番奥にある洋館の前までたどり着いていた。洋館の脇には、おそらく庭師などが出入りするための扉が見える。

鷹央は洋館の玄関にある観音開きの扉を、「たのもう！」と両手で押して開いた。

「それじゃあ、道場破りじゃないですか」

呆れながら僕は仕方なく鷹央に続いて、鴻ノ池とともに別館に入っていく。

「わぁ、素敵」

鴻ノ池が声を上げる。たしかに、その内装は外見に勝るとも劣らぬほどに洗練されたものだった。吹き抜けのロビーの天井からは、豪華絢爛(けんらん)なシャンデリアがぶら下がっている。正面には柔らかそうな絨毯が敷き詰められた大きな階段があり、そこをのぼった二階には、吹き抜けを囲むような形で通路が走っていて、病室らしき扉が十室ほど並んでいる。階段の左手には二階へと昇るためのエレベーターもある。

「あの、どなたでしょうか?」

声が聞こえてくる。そちらを見ると、ナースステーションに二人の看護師がいた。

「私は天医会総合病院の副院長、天久鷹央だ」

鷹央は胸を張る。看護師たちは「……天医会?」と眉をひそめた。

「ああ、そうだ。この別館の視察に来たんだが、作田から聞いていないか?」

しれっと大ぼらを吹いた鷹央に、僕は頬を引きつらせる。とがめたいところだが、ここで口を挟むと鷹央のほらがばれてしまう。とりあえず、様子を見るしかない。いざとなったら、後ろから口を塞いで回収すればいいし。

「作田先生からですか? いえ、なにも聞いていませんけど……」

顔を見合わせる看護師たちに、鷹央はつかつかと近づいていく。

「どうやら、連絡に不備があったようだな。まあ、急に決まったことなんで気にしないでいい。ちょっと、ここを見学しながら、お前たちに話を聞かせて欲しいだけだ」

「話ってなんでしょう?」おずおずと看護師の一人が訊ねた。

「数日前まで、外国人の若者が入院していただろ。そいつについて知りたいんだ」

鷹央はナースステーションに入ると、大股で看護師たちに近づいていく。

「なんでもいい。その患者について知っていることを教えろ。洗いざらい全てだ」

重要な手がかりを前にして、飢えた肉食獣のような気配で迫ってくる鷹央に、看護師たちが怯えの表情を浮かべた。

……早速、回収作業に入った方が良いだろうか？

鷹央に気づかれないよう、僕が足音を殺して彼女の背後へと近づいていくと、看護師の一人が首をすくめるようにしながら口を開いた。

「私たちこの病棟での勤務、昨日からなんです。だから、その患者さんと会ったことはありません」

「え？　なんでだよ。病棟に所属するナースは普通決まっているだろ」

「この病棟はまだほとんど患者さんをいれず、仮稼働をしているだけですから。できるだけ多くの看護師に二、三日ずつ働いてもらって、設備上の改善点とかのアンケートをとっているところなんです」

「じゃあ、この前まで入院していた男の看護をしたことのあるナースは誰なんだ？」

「それはちょっと私たちには……。あとで作田先生に訊いてみて下さい」

期待していたのとは違う答えに、鷹央は子供のように頬を膨らませるとナースステーションを出て、ロビーをのしのしと歩いては扉を開けはじめた。『悪い子はいねえがぁ』と声を上げながら徘徊する『なまはげ』のような雰囲気を醸し出している鷹央鷹央を看護師たちは不安げに眺める。やがて、一階にある全ての扉を開けて中を観察した鷹央は、つまらなそうに鼻を鳴らした。

「悪い子はいましたか」

僕が冗談めかして声をかけると、鷹央は「あ?」と剣呑な目つきで睨んでくる。僕は慌てて「なんでもありません」と胸の前で両手を振った。

事件の真相に大きく迫る手がかりを期待していたにもかかわらず、肩すかしをくらったことで、このうえなく機嫌が悪い。この状態の鷹央は、ニトログリセリンのようなものだ。変に刺激をすると大爆発を起こしかねない。

「手狭ながら臨床検査室に超音波検査室、処置室に透析室、簡易的な病理検査室まで揃っているな。処置室は簡単な手術ぐらいならできそうだし、臨床検査室はかなり本格的だ。この建物だけで、小さな病院としてしっかり稼働可能だな」

つぶやく鷹央に、看護師の一人がおずおずと声をかける。

「噂では最初は、VIP用の特別病室にする予定だったみたいです。けど、さすがに本館から離れすぎていて、患者さんの状態が悪くなったときにすぐに医師が駆け付けられないってことで、ホスピスにすることにしたらしいです」

たしかに、美しい庭園に囲まれた素晴らしい環境でも、急変時に十分な医療提供が難しくては、ＶＩＰ患者を入院させることはできないだろう。一方で、急変時にも蘇(そ)生(せい)などは行わず、苦痛をとりつつ自然の成り行きに任せるホスピスには最適だ。

「この建物はいつ完成したんだ？」

口元に手を当てながら鷹央が訊ねる。看護師たちは顔を見合わせて小声で言葉を交わしたあと、一人が「たぶん、二年くらい前から」と、自信なげに答えた。

「二年も前に建物が完成していたのに、まだ病棟が本格稼働していないのか？」

「建物が完成したあとに、庭の整備がはじまったんです。もともとここは、古い工場が立っていました。そこを一度更地にしたあと、池を掘って水を張ったり、植えられた植物をたくさんの庭師が整備したりして少しずつ出来上がってきました」

「はぁー。そりゃ、時間がかかりますねぇ」

とぼけた口調で感想を述べる鴻ノ池に、鷹央は「それに金もだ」と流し目をくれる。

「この規模の庭園を造るとなると、経営状態が悪化するリスクを負うことになる。当然、職員のボーナスがカットされる。舞(まい)、初期臨床研修を終えたお前が来年うちの医局員になったときのボーナスが低くなるが、それでも庭園作って欲しいか？」

「お庭、いりません！」

鴻ノ池が即答する。文字通り、現金なやつだ。僕が呆れていると、鷹央はつかつかと正面の大階段に向かっていった。

「あ、あの、どこに?」看護師たちが慌ててナースステーションから出てきた。

「二階に行くんだ。病室は二階だろ?」

「そ、そうです。ただ、一人だけですけど、いまは患者さんも入院しているんです」

「だから、その患者に話を聞きに行くんだよ」

悪びれることなく言って、鷹央は階段をのぼりはじめる。

「待って下さい。なんで患者さんと話をする必要があるんですか?」

看護師が至極当然の質問をぶつけてくる。さすがに、「連続殺人事件の捜査のためだ」と答えるわけにはいかず、鷹央は腕を組むと、僕に視線を送ってきた。

「そうだな……病棟の使い心地のアンケートをとるため、だったか、小鳥?」

無茶ぶりしないでくれ……。

「そ、そうですね。やはり、実際に入院している患者さんにご意見をうかがうのが一番だということで、話を聞きたいなぁ、なんて……」

しどろもどろで答える僕に、看護師たちの疑念に満ちた視線が突き刺さる。

「あの、患者さんに会うのはさすがに遠慮してもらえませんか?」

「なんでだ? そんなに状態が悪いのか?」

鷹央の問いに、看護師は「そういうわけでは……」と歯切れ悪く答えた。

まあ、いきなり正体不明の人物たちが押しかけてきて、終末期で緩和ケアを受けている患者の病室に乱入しようとしているのだ。止めるのは当然だろう。

「作田の許可は取ってある。『実際に入院している患者さんと会って、生の声を聞かないと参考になりませんから、ぜひ』ってな」

鷹央は再びしれっと大ぼらを吹く。

「本当ですか？」

「疑うなら、作田に確認してみろ。ただ、さっき病棟に急変で呼ばれているから、すぐに連絡が取れるか分からないけどな。たしか、明日退院予定の患者がいきなり心肺停止になったんだっけかな？　すごい勢いで走っていったぞ」

……なんでこの人、こんなにすらすらとでまかせを言えるの？　本当に『謎』を解くためには手段を選ばないな。

呆れる僕を尻目に、鷹央は階段を上がっていく。鴻ノ池が「ああ、待って下さいよ」と鷹央についていった。僕は大きなため息をつくと、どうして良いのか分からず戸惑っている看護師に深々と頭を下げた。

「お騒がせしてすみません。ちょっと患者さんにお話をうかがったら、すぐに退散しますので。失礼します」

僕は階段を上がりはじめる。『謎』を解くための手がかりを目の前にして暴走中の鷹央はどんな非常識なことをしでかすか分からない。常に想像の斜め上をいくのが天久鷹央という人物だ。急ごうとした僕は、すぐにそれが杞憂であることに気づく。

徒競走よろしくウサギのように一気に階段を駆け上がっていった鷹央だったが、二階に到達する前に、そのスピードはカメの歩みに近いほどに落ちていた。

「あの……、鷹央先生、大丈夫ですか？　本当に息が上がっちゃったんですか。二階に上がるだけですよ」

二階まであと数段というところで完全に足が止まってしまった鷹央に、鴻ノ池が心配と呆れが同程度にブレンドされた声をかける。

「二階と……言っても……、この建物は一階の天井が……かなり……高い。だから……、実質……三階まで階段を……駆け上がったような……もの……」

荒い息の隙間をついて声を絞り出している鷹央に、僕はゆっくりと近づいていく。

「鷹央先生、やっぱり鴻ノ池とジム行って下さい。あまりにも体力不足です」

「そうですよ。あ、水泳とか基礎体力作りにいいかも。鷹央先生の水着姿とか見てみたい。スクール水着とか着てもらったら、きっと犯罪的な魅力が……」

ぐふふと下卑た笑い声を漏らしながら口元を拭う鴻ノ池を前に、鷹央は珍しく露骨な恐怖の表情を浮かべる。

「そ、そんなことより早く患者の話を聞きに行くぞ」

ようやく呼吸が整った鷹央は、逃げるように階段を上がっていった。

吹き抜けを囲むようにコの字型の内廊下が設置されている二階についた僕は、周囲を見回す。病室の扉が全部で九つあるが、そのうち閉まっているのは大階段を上がってすぐのところにある一つだけだった。そこに患者が入院しているんだろう。

鷹央はノックをすると、再び「たのもぉー」とノブに手をかけた。

「だから、その掛け声は違う……」

小声で突っ込む僕の前で、鷹央は勢いよく扉を開けて、中に一歩踏み込んだ。

「うお⁉」「わっ⁉」

鷹央と若い女性の驚きの声が重なる。見ると、扉のすぐ向こう側に、車椅子に乗った女性がいた。ちょうど部屋から出ようとノブに手を伸ばしていたところだったのだろう。その手は、扉を開けた鷹央の顔の前に突き出されている。

「あ、ごめんなさい」

慌てて手を引っ込めた女性を僕は観察する。年齢は二十歳前後といったところだろうか。肩まで届く軽くウェーブのかかった髪をわずかに茶色に染め、ベージュ色のワンピースを着ている。幼さを残す顔には、わずかにそばかすが浮いていた。

「お前がこの病室に入院している患者か？」

鷹央は舐めるように車椅子の女性を観察する。その無遠慮な視線に戸惑い顔になりつつ、女性は首を振った。

「いえ、私はお見舞いに来ているだけですけど……」

「……誰？」

女性の後ろから、しわがれた声が聞こえてくる。

「お客さんみたい。邪魔になるから、私、帰るね。また明日も来るから」

女性は振り返って言った。見ると、病室の奥にカーテンが引かれていた。その奥にベッドがあり、入院患者が臥せっているのだろう。

「来なくていいっていってるだろ！　遺産狙いなんでしょ。分かっているんだよ！」

カーテンの奥から、がなり声が響いてくる。

「……でも、やっぱりお見舞いに来るから。ケイおばさんに会いたいし。お客さんとはちゃんとお話ししてね」

「客？　客なんて来る予定ないよ！」

「私は天医会総合病院の統括診断部部長の天久鷹央だ。ちょっと話が聞きたい」

鷹央は名乗りを上げると、病室の奥へと進んでいく。車椅子の女性は哀しげな表情をうかべたまま軽く会釈をすると、ホイールを操って僕のわきをすり抜けようとした。

「数日前までこの病棟に入院していたもう一人の患者、外国人の若者であるファン・チェットについて訊きたいことがあるんだ」

ベッドの周りに引かれたカーテンのそばまで近づいた鷹央が声を上げる。部屋から出かけていた女性の動きが止まる。急停止したタイヤが、キュッと音を立てた。

「どうかしましたか？」

僕が声をかけると、女性ははっとした表情を浮かべる。

「なんでもありません。失礼します」

女性は逃げるように、部屋から出ていった。扉が閉まり、その姿が見えなくなると、ベッドの周りに引かれているカーテンを鷹央が勢いよく開いた。

「ああ、鷹央先生。勝手に開けちゃだめですよ」

僕と鴻ノ池は慌てて部屋の奥へと進む。出入り口から伸びる短い廊下の左右にはトイレとバスルームが備え付けられており、その先に十二畳ほどの部屋が広がっていた。柔らかそうな革張りのソファーとローテーブルの応接セット。落ち着いた雰囲気ながら高級感を醸し出しているアンティーク調のデスクやキャビネット。天井からは小ぶりなシャンデリアがぶら下がっている。

元々はＶＩＰ用の病室として使用する予定だったせいか、壁に設置されている酸素や吸引用の配管がなければ、高級ホテルの一室と言われても通じそうだ。

鷹央に近づいた僕は、口元に力を込める。窓際に置かれたベッド、そこには痩せ細った女性が横たわり、外を眺めていた。入院着から覗く前腕は枯れ木のように細く、筋ばっていて、紫色の内出血の跡がまだら模様を描いていた。皮下脂肪が削ぎ落とされた顔は、頬骨の形がはっきりと浮き上がり、眼窩（がんか）が落ちくぼんで目が飛び出しているかのように見える。皮膚は乾燥しきっていて、いまにもひび割れそうだった。毛糸の帽子をかぶっているのは、おそらく化学療法の影響で頭髪がないからだろう。

医師としての経験が、目の前の女性がどのような状態なのかすぐに教えてくれる。

悪液質。体内で爆発的に増殖するがん細胞に根こそぎ栄養を吸い取られ、やせ細ってしまう病態。この状態になった患者の予後は極めて悪く、残された時間は少ないことが多い。

ベッドについている名札を見ると、『比嘉慧様　血液内科』と記されていた。

血液内科の患者で悪液質を起こしているということは、おそらくは白血病などの血液がんを患っているのだろう。

頭の中で僕が状況を整理していると、比嘉（ひが）という名の女性は緩慢な動きで首を回して、鷹央を見た。

「あなたたち、誰？」血色の悪い唇の隙間から、力ない声が漏れる。

「だから、さっき言っただろ。天医会総合病院統括診断部の天久鷹央だ」

「あめく、あめく……。ああ、いとこの理子（りこ）ちゃんの娘の、あまねちゃん？　わぁ、大きくなったわねぇ。いまは中学生だったかしら」

落ちくぼんだ目が懐かしそうな慧に、鷹央は「違う違う」とかぶりを振る。

「お医者さんごっこしているの？　ああ、あまねちゃん、おままごと好きだったからねえ。ほら、おぼえてる？　あなたが魚屋さんで、私がお客さんをして……」

「それは私じゃない。私は『あまねちゃん』じゃない」

「え？　だって、さっきあまねちゃんだって……」

「言ってない。天久だ。『あ・め・く』」

　鷹央は言い聞かせるように、ゆっくりと言う。

「雨？　雨は降っていないわよ」

　再び外を眺め出した比嘉に、鷹央は両手で髪を掻き乱す。

　この受け答えを見るに、どうやら比嘉は認知機能に問題があるらしい。悪液質で痩せ細っているので、いまいち年齢は分かりにくいが、五十代ぐらいだろう。だとしたら、認知症患者の平均年齢よりもだいぶ若い。

　おそらくは、認知機能の低下も血液がんの症状によるものなのだろう。がん細胞が脳転移などで中枢神経系を侵して、様々な神経症状を呈することは珍しくない。

　それに……。わずかにはだけた比嘉の入院着の胸元に付いている、半透明のテープのようなものを僕は見つめる。フェンタニルのパッチ剤だろう。強力な鎮痛作用を持つ合成麻薬であるフェンタニルを、皮膚からゆっくりと吸収できるパッチ剤は、癌性疼痛の管理などによく使用される。しかし、人によっては副作用で混乱が生じることもある。

「私が誰でもいいから、話を聞いてくれ」

なかば自棄になったかのように、鷹央は声を張り上げる。

「数日前まで、この病棟に外国人青年の患者が入院していただろ。そいつについて、なにか知らないか？　どんな些細なことでもいいから教えてくれ」

外を見ていた比嘉の表情がみるみる険しくなり、勢いよく首を回して鷹央を睨んだ。

「入院？　ここは私のお家よ。患者なんていないわよ。おかしなこと言わないで」

鷹央の表情が引きつる。比嘉はここが病院であり、自分が入院していることすら理解していないらしい。ここまで混乱している状態では、事件解決の手がかりになるような情報を引き出すのは難しいだろう。鷹央の肩が落ちる。

「ねえ、比嘉さん。私が誰か分かる？」

黙り込んでしまった鷹央に代わって、唐突に鴻ノ池が声を上げる。

「あなたが誰か……？」

比嘉はまばたきをくり返しながら、鴻ノ池の顔を数秒凝視したあと微笑んだ。

「ああ、あなた、眞喜志さんとこの、和子ちゃんでしょ。いつも、外で遊んで小麦色に日焼けしてたもんねぇ」

「そ、そう、和子ちゃん和子ちゃん」

　もともと小麦色の肌をしていて、ときどき日焼けサロンで焼いていると誤解されることを気にしている鴻ノ池は、頬を引きつらせながら頷く。

「ああ、懐かしいねえ。元気にしていたかい？　うちになにか用だった？」

　穏やかに訊ねる比嘉に、鴻ノ池はゆったりとした口調で声をかける。

「比嘉さん、ここって比嘉さんが住んでいるマンションなんだよね」

「マンション？　うん……、そうだね。マンション……。マンションだよ」

　比嘉は少しだけ混乱したような様子であごを引いた。

「それじゃあこのマンションにさ、外国人の若い男の人、住んでいなかった？」

「外国人……、若い男……」

　数秒間、視線を彷徨わせたあと、比嘉の顔がぱっと輝く。

「ああ、いたよいたよ。外国の人はいたねえ。どっかに引っ越していったけど」

「そいつだ！　そいつについて知っていることを教えてくれ」

　我慢できなくなったのか、鷹央が声を張り上げる。

「お、教えてくれって言われても……。お隣さんのことなんか、よく知らないよ」

　比嘉の顔に戸惑いと、怯えが戻ってくる。

　僕は「鷹央先生、ステイ。ステイですよ」と耳打ちをする。

「犬みたいな扱い止めろ」

鷹央は苛立たしげに言うが、鴻ノ池に任せた方がいいと悟ったのか口をつぐんだ。

「もう一人の住人について、なにかおぼえていない？　どんな些細なことでもいいから、教えてくれたら嬉しいな」

鴻ノ池に問いかけられた比嘉は、血色の悪い顔をしかめる。

「そんなこと言われてもねえ……。引っ越しの挨拶にも来なかったからねえ。普通、越して来たら手土産を持って頭を下げに来るものじゃないの」

「そうね。けど、外国の人だから、そういう日本の習慣を知らなかったのかも」

諭すように鴻ノ池が言うと、「そうかもねえ」と比嘉の表情の険しさが希釈された。

「でも、なんか不気味だったから、ほとんど話したことないんだよ。いつも口の端から涎が垂れていたし、血走った目でこっちを睨んでくるし、なんか唸っているしさ……。飢えた野犬みたいで、怖かったよ。本当に怖かった……」

自らの肩を抱くようにして細かく震え出す比嘉を見て、僕は首を軽くひねる。認知機能に障害が出ている比嘉の言葉がどこまで正確なのかは分からないが、いまの話を聞くと、ファン・チェットはかなり異常な様相を呈していたようだ。タトゥースタジオで撮影された写真の雰囲気とはだいぶ違う。

精神症状がかなり不安定だったと、作田も言っていた。いったい、ファン・チェットの身になにが起きていたというのだろう？　それは今回の吸血鬼連続殺人事件となにか関係があるのだろうか？

　事件の全体像が見えず首をひねる僕のそばで、鷹央がぼそりとつぶやいた。

「やはり、診療情報が必要だ。ファン・チェットになぜ精神症状と消化器症状が生じていたのか。その診断を下すことこそ、今回の事件の真相を暴く最短ルートだ」

「じゃあ、やっぱり作田先生を待って、カルテを見せてもらうしかないですかね」

　鷹央は「残念ながら、そのようだな」と比嘉に視線を送る。

「彼女がファン・チェットとほとんど接触していないなら、あまり情報は期待できないだろうしな。それに、ホスピスの患者にあまり負担をかけるのはよくない」

「そうですね。とりあえず、おいとましましょうか」

　一度、『謎』を前にすると暴走し、視野狭窄（きょうさく）に陥りがちな鷹央が、比嘉の体調をおもんぱかったことが嬉しかった。期待したほど手がかりが得られないことに強く失望しつつも、鷹央は落ち着いて状況に対処している。

　社会から孤立してきた彼女が、必死に社会性を身につけはじめている。

「……なんだよ、にやにやして。気持ち悪いな」

　鷹央は唇をへの字にすると、出入り口に向かう。そのとき、比嘉が「ああ、そういえば……」と声を上げた。病室から出ようとしていた鷹央は、勢いよく振りむくと、ネコ科の猛獣のようにしなやかな動きで僕のわきをすり抜けて、ベッドに横たわっている比嘉の肩に両手を置いて、お互いの鼻先が触れそうなほどに顔を近づけた。

「なんだ⁉ なにか思い出したのか？ そうなら、さっさと言え！ すぐ言うんだ！」

「鷹央先生、ステイ、ステイですって！」

僕と鴻ノ池は、慌てて鷹央を比嘉から引き剝がした。

やっぱり社会性、身についてないかも……。

「あ、あそこ……」

僕に羽交い絞めにされ、猛獣のような唸り声を上げる鷹央に恐怖の表情を浮かべながら、比嘉は震える指で窓の外をさす。

「あそこ？」

いくらか落ち着いたのか、鷹央は「放せよ」と僕の手を振りほどくと、窓際に移動して外を見る。僕と鴻ノ池も（鷹央がまた暴走したらすぐに拘束できるように）そのそばに寄った。

「あそこに紫陽花(あじさい)があるでしょ」

窓の外に広がる庭園の池のそばに、紫陽花が植えられていた。かなり前に梅雨は終わっているが、庭師にしっかりと手入れをされているからか、赤色の花が咲いている。

「あの外国の人、雨の日にあの紫陽花を見ていた。とっても哀(かな)しそうに……」

「紫陽花は、晴れた日に見てもあまりぱっとしないな」

鷹央は後頭部で両手を組みながら、紫陽花を眺めると、今度はそばにある池のふちに立って、そこに泳ぐ鯉を眺める。

「気を付けて下さいよ。足を滑らせて池に落ちたりしないで下さいね」

「余計な心配するなよ。私の運動神経を信頼していないのか？」

「……どうして、自分の運動神経を信頼できるんですか？」

病室で比嘉慧から話を聞いたあと、僕たちは庭園へと戻り、ファン・チェットがよく眺めていたという紫陽花のそばまでやってきていた。

ファン・チェットの診療記録を見るためには、電子カルテの閲覧権限を持つ作田がいなくてはならない。彼を待つ間、せっかくなのでなぜファン・チェットが紫陽花に興味を持ったのか調べることにしていた。

「たしかに、紫陽花は雨がしとしと降っている中で見る方が風流に見えますよね。葉っぱの上にカタツムリとかいると、特にいい感じ」

鴻ノ池は歌うように言いながら、紫陽花を眺める。

「あ、ここの花は青いですね。小鳥先生は赤と青、どっちが好みですか？」

数メートル並んでいる紫陽花の中で、一部だけ咲いている青い花に顔を近づけながら鴻ノ池が訊ねてきた。

「どっちかといえば、青かな。しかし、ファン・チェットはここでなにをしていたんだろうな。しかも、比嘉さんの話では、雨の日に限ってここにいたらしいし」

「たんに紫陽花が好きで、一番映える雨の日に観賞していただけじゃないですか？」

鴻ノ池が言うと、池のふちに立った鷹央はあごに手を当てた。

「もちろん、その可能性もある。ただ、他になにか理由があったのかも……」

鷹央が考え込みはじめたとき、唐突に「すみません」と声がかけられた。見ると、車椅子に乗った女性が、遊歩道をこちらに近づいてきていた。

「あなたは、さっき病室にいた……」

比嘉の病室に入るとき、すれ違った女性だった。

「はい、松本加奈といいます」

加奈と名乗った女性は、車椅子のタイヤに手を添えたまま会釈をする。

「比嘉さんのお見舞いをしていた方ですよね。ご親戚なんですか？　姪御さんとか？」

鴻ノ池の問いに、加奈は首を横に振った。

「血は繋がっていないんです。ただ、ケイおばさんは唯一の身内というか……」

どう説明すればいいのか迷っているのか、加奈は言葉を濁す。

「私の死んだ母と、ケイおばさんは親友だったんです。幼馴染で、二人とも同じ時期に妊娠しました。ただ、ケイおばさんの赤ちゃんは死産になっちゃって……。逆に私の母はもともと体が弱かったうえ、出産時に大量出血してかなり長い間、入院したんです。だから、ケイおばさんが生まれたばかりの私を育ててくれたそうです。そのあとも、体調を崩しがちだった母の代わりに、面倒を見てくれたりしました。小さいときは私にはお母さんが二人いると思っていました」

「たしかに、それは血縁関係がなくても『身内』と言えるな」

鷹央はうんうんと頷く。

「私は父を幼いときに事故で、母を五年前に乳がんで亡くしているんです。ケイおばさんも旦那さんを三年前にがんで亡くしているので、お互い一人ぼっちなんです。だからすごく仲良くしていました。私はケイおばさんのことを、本物の家族だと思っています。私だけは、最期までケイおばさんのそばにいてあげたいんです」

「……病状は、かなり厳しいようだな」

鷹央が低い声で言うと、加奈は痛みに耐えるような表情になる。

「特殊な白血病なんです。二年前に発症して、頑張って抗がん剤で治療をしてきたんですけど、もうそれも効かなくなってきて……」

「話してみたところ、認知機能にも低下が見受けられた。それも白血病の影響か？」

加奈は「……はい」とつらそうに頷く。

「白血病細胞が脳に転移して細かく広がっているらしくて、それのせいで認知症が出たり、性格が変わったりしているらしいです。すごく怒りっぽくなったり、自分がどこにいるのか分からなくなったり。それに最近は私に対しても、遺産を狙っているって思い込んで、怒鳴って追い出そうとするんです」

加奈は弱々しく首を振る。

「ただ、半年ぐらい前まではことあるごとに『こんなことになって、ごめんね』って泣いていて……。そっちもきつかったですね。白血病になったのは、おばさんのせいじゃないのに」

うつむき、瞳を潤ませていく加奈に、なんと言葉をかけて良いのか分からず、僕は立ち尽くす。重い空気を振り払うように、鷹央が「それで」と声を上げた。

「なにか用なのか？　見舞いが終わったのに帰りもせず、この庭園にいたということは、私たちを待っていたんだろ？」

「部屋から出るとき、聞こえちゃったんです。この病棟に入院していた、外国人の若者について話があるって、皆さんが言っていたのを」

「ファン・チェットに心当たりがあるのか⁉」

「ファン？　それがあの人の名前なんですか？　私には神津って名乗っていました」

加奈はそばにある紫陽花の青い花弁にそっと触れた。

「私、紫陽花が好きなんです。特に、雨の日の紫陽花が。雨の日のこの庭は、晴れているときとは全然違う表情になります。沈んだ色の中に鮮やかに浮き上がる赤色と少しだけの青紫陽花の花、濡れた土の香り、池の水面を叩く雨粒のハーモニー」

「なかなかの詩人だな」

鷹央が相好を崩すと、加奈は車椅子のタイヤから離した手を胸の前で振る。

「そんな高尚なものじゃありません。ただ、雨の日のこの庭が好きなだけです。その世界に浸っている間は、自分のつらい境遇とか忘れて、穏やかな気持ちになれるんです。それは、あの人も同じでした」

「神津と名乗ってた男か？」

「はい。一ヶ月くらい前の梅雨の時期ですね。ケイおばさんのお見舞いを終えた私がここで紫陽花を見ていると、彼がやってきたんです」

そのときのことを思いだしているのか、加奈が遠い目になる。

「ただ、第一印象は最悪でした」

「なぜ、最悪だったんだ」

「怖かったからですね。なんていうか……、彼って顔色が悪くて、目が据わっていて、頬がこけていましたし、ぶつぶつ小声で知らない言葉をつぶやいているんですよ。それに、看護師さんとかから聞いていました。このホスピスにおかしな妄想にとり憑かれている患者さんが入院しているって。だから、思わず逃げようとしました」

「それで、逃げたのか？」

「いいえ、逃げ損ねました。私、こんな状態じゃないですか。傘を持って車椅子で移動するのって、難しいんです。しかも、かなり焦っていたんで、傘を落としちゃったんです。そうしたら、彼は無言で私に近づいてきて……」

「近づいてきて？」

「傘を拾って、さしてくれました」

「傘を？」鷹央はまばたきをくり返す。

「ええ、そうです。隣に立って無言で傘をさしてくれたんです。私が濡れないようにしてくれていたせいで、彼は雨に降られて、びしょ濡れの髪が顔にかかって、さらに迫力が出ちゃっていましたね」

「怖くはなかったのか？」

「もちろん怖かったですよ。けど、濡れた髪の隙間から覗いている彼の目に見覚えがあったんです。毎朝、鏡の中で見ているのと同じ目。それで気づきました。この人も私と同じなんだって。……彼も一人ぼっちなんだって」

加奈の表情がふっと緩んだ。

「それで、どうした？」

「どうもしませんでした。その日は、ただ二人で並んで紫陽花を眺めていました。そして、その日から雨が降ると、いつも一緒にここで紫陽花を見るようになりました。別に待ち合わせていたわけではないんですけど、なんとなく。最初のうち、あの人は全然話をしませんでしたけど」

加奈は懐かしそうに、目を細めた。

「私は自分のことを話しました。物心つく前に父が死んで、母子家庭で育ったこと。その母が病気で死んだこと。唯一の身内だと思っている人も、もうすぐ逝ってしまうこと……。身勝手ですよね。相手がなにも話さないからって、自分ばっかり一方的に話を聞いてもらうなんて。けど、そのうちに少しずつですけど、彼も自分のことを話してくれるようになりました」

「話をしてくれるようになった⁉　具体的にどんなことを言っていたんだ？」

手がかりの気配を感じた鷹央が早口でまくし立てる。

「仕事の勉強をするために日本に来たのに、すごく安い給料でつらい単純労働ばっかりさせられたって。体がぼろぼろになったから故郷に帰りたかったけど、ベトナムには家族がいて、日本で稼いだお金を仕送りしないといけないから帰れない。だから、他の就職先をなんとか探したって」

ファン・チェットは技能実習生だった。受け入れ先の工場以外で、日本での就労は認められていない。『他の就職先』とは、非合法なものだろう。

「その『他の就職先』について、具体的にどこで何をしていたのか聞いていないか？」

鷹央の問いに、加奈は首を横に振った。

「何度か訊いたんですけど、ほとんど答えてくれませんでした。ただ、お給料は増えたけど、その分、つらい仕事だったって。本当はそこも辞めたいんだけど、どうやって辞めていいか分からないって」

ファン・チェットが所属していた組織は、メンバーになるために血液でコウモリのタトゥーを彫ることを要求している。それほど異常な忠誠を強制する組織から、簡単に抜けることなどできないだろう。

安易に踏み込めば二度と這い上がれず、すべてをしゃぶり尽くされるしかないアリジゴクの巣のようなものだ。しかし、その巣に入らないといけないほどに追い詰めたのは、奴隷のように安い賃金でつらい労働を外国人の若者に強制した、勤務先の工場、ひいてはこの国の制度なのだろう。

「ファンはお前に心を開いていったんだな。他になにか聞いていないか？」

「……ええ、聞いています」

加奈の表情に緊張が走った。

「彼はこう言っていました。『私はこの国で、怪物になってしまった』って」

「……怪物」

鷹央は押し殺した声でその言葉をくり返す。加奈の眉間に深いしわが寄った。

「そうです。半年くらい前から頭にもやがかかったみたいな感じになってきて、わけが分からなくなってきた。みんなが自分を監視している気がするようになった。それと同時に、自分が少しずつ怪物になっていった。そして、どこからか声が聞こえてくるようになった。自分はこの国にきたせいで人間ではなくなってしまった。彼はそう言っていました。……涙を流しながら」

これが作田の言っていた『妄想』の内容か。ファン・チェットの身に何が起きたのか、いまの話を聞いて目星がついた。きっと、ファン・チェットは統合失調症を発症してしまったのだろう。何者かに監視されている、みんなが自分の悪口を言っているという被害妄想や、どこからか声が聞こえるという幻覚は、統合失調症によく見られる症状だ。そして、破瓜(はか)型と呼ばれる若年者に多いタイプの統合失調症の好発年齢は二十歳前後で、強いストレスが発症の契機になることが多い。

慣れない他国で虐げられ、そして反社会組織のメンバーにならざるを得なかった。それは想像を絶するストレスとなり、精神は限界を迎えてしまったのだ。

「看護師さんは、彼の姿とかときどき口走る妄想の内容のせいで怯えて、彼とは最低限の接触しかしていませんでした。きっとあの人にとって、私だけがこの国での『友人』だったんです。だから、助けてあげたいと思いました。けど、先週……」

「この病棟から姿を消してしまった」

鷹央がセリフを引き継ぐと、加奈は弱々しく頷いた。

「姿を消す前、あの人はかなり不安定になっていました。大きな声で泣いたり、私に『僕に近づくな！　危険だ！』って叫んだり」

「危険？　どういうことだ？」

「よく分かりませんけど、たぶんあの人は自分が完全な怪物になって、私に襲いかかることを恐れていたんだと思います。だから、彼が姿を消したのは、私のせいかもしれないんです。あの人は本当に体調が悪そうで、病院にいないといけないのに、私を守ろうと出ていったのかもしれないんです」

そこで言葉を切った加奈は、車椅子から身を乗り出して鷹央の手を両手で握った。

「だから、皆さんが彼のことを調べていると聞いて、あの人の行方を知っているんじゃないかと思って、いても立ってもいられなくなったんです。もし知っていたら、教えて下さい。彼はどこに行ったんですか？」

僕は息を吞んで鷹央の答えを待つ。ファン・チェットは昨夜、久留米池公園で遺体で発見されている。緊張して見守る中、鷹央はゆっくりと口を開いた。

「まだ、私たちにもはっきりとは分からないんだ。ここに入院していた男の行方はな」

加奈の顔から期待の色が消えていく。

「なにか分かったら連絡を入れるから、念のため、連絡先を交換しておこう。そっちもなにか思い出したことがあったら、連絡をくれ」

力なく「はい」と答えた加奈は、スマートフォンを取り出す。それについていたストラップを見て、僕たちは目を見張った。そこには水晶がついていた。吸血鬼連続殺人事件の遺体発見現場で遺留品として見つかっている水晶のストラップ。

「その水晶は……」

震える指で鷹央が指さすと、加奈は「あ、これですか」と微笑む。

「神津さんがくれたものです。仲良くなった人にはみんなにあげているらしいです。なんか『私のシンボルなんです』とか言っていました。高そうだから最初は遠慮したんですけど、三百円くらいでいくつも持っているって聞いて、頂くことにしました」

目を細めた加奈は、呆然として固まっている鷹央と手早く連絡先の交換をすると、「失礼しました。お邪魔してすみません」と車椅子を操作して去っていった。

僕が「あのストラップって……」とつぶやくと、鷹央は小さく頷いた。

「ああ、間違いなく『吸血鬼』が現場に遺しているものだ」

「どうしてファン・チェットがあの水晶を持っていたんですか？」

「そもそも、ここに入院していた神津と名乗っていた男は、本当にファン・チェットだったのか……」

鷹央はキュロットスカートのポケットからファン・チェットの写真をとりだした。

「いやあ、お待たせしました」

遠くから声が聞こえてくる。見ると、作田が小走りに近づいてきていた。

「発熱患者の対応だけのつもりが、明日からの点滴のオーダーが切れている患者の注射箋を頼まれたりしていて、時間がかかってしまいました。申し訳ありません」

息を切らせながらやってきた作田は、鷹央が持っている写真を見て首をかしげる。

「その写真はなんですか？」

「なに言っているんだ。この病院に入院していた男の写真だろ」

作田の顔に濃い戸惑いが満ちていく。

「あ、あの、天久先生。失礼ですが、……人違いです。私が診ていた患者は、その写真に写っている男性ではありません」

鷹央の目が大きく見開かれる。

「なに言っているんだ！　このコウモリのタトゥーをよく見ろ。お前の患者にはこのタトゥーがあったんじゃないのか？」

「た、たしかに全く同じコウモリが彫られていましたけど、私が担当した患者のタトゥーがあったのは、肩でなく上腕です。場所が違います」

「……場所が違う？　……別人？」

鷹央が呆然とつぶやく。僕と鴻ノ池も、あまりにも予想外の展開に口をあんぐりと開けて固まってしまう。

ここに入院していたのは、ファン・チェットではなかった。では、コウモリのタトゥーがある東南アジア系の若者が入院していたのは偶然だというのだろうか。

そこまで考えたところで、僕は勢いよく頭を振る。そんな偶然があるわけがない。

「ここに入院していた男は、ファン・チェットでは、被害者ではなかった。しかし、状況から考えて無関係とは思えない。だとしたら……」

うつむき、抑揚のない声でつぶやいていた鷹央は、顔を上げるとぼそりと言った。

「……加害者、連続殺人鬼」

「連続殺人？　いったいなんのことですか？」

戸惑う作田の白衣の襟を、鷹央は両手で摑んで引き寄せる。

「ここに入院していた男はどんな外見だった？　どんな様子だったんだ」

「どんなって……。顔が蒼白くて、すごく痩せていて、目がぎらぎらとしていて、八重歯が牙みたいに長かったですよ。そして、日光に当たることに怯えて、病室のカーテンも決して開けようとしませんでした」

作田の口から情報が語られていくにつれ、心臓の鼓動が加速していく。

「そして……、気味の悪いものに執着を示していましたね。まあ、彼の妄想からすれば当然なんですけど……」

作田の口調が歯切れ悪いものになっていった。鷹央は興奮で頬を赤くする。

「この病院に入院していた男は、自分のことを『怪物』だという妄想に囚われていた。その『怪物』とは具体的にはなんだ？　そいつは何に執着を示していたんだ！」

作田は喉を鳴らして唾を飲むと、ゆっくりと口を開いた。

「吸血鬼です。彼は自分をヴァンパイアだと思い込み、そして輸血用の血液に強い執着を示していました」

3

作田たちから話を聞いて二日が経った火曜日の昼下がり、白衣姿で目を伏せながら、僕は病院の廊下を歩いていく。

「……最近の鷹央先生、法を犯すことに躊躇なくなってきていますよね」

「人聞きの悪いことを言うな」

僕とは対照的に胸を張って前を歩いていた鷹央は足を止め、振り返る。

「医者が白衣で病院を闊歩して、何の問題があるって言うんだ」

「……たしかに白衣ですが、鷹央先生が着ているのは『医者の白衣』ではありません。そして、ここは僕たちの病院ではありません。明らかに犯罪です」

そう、ここは北条総合病院の病棟の廊下で、そして鷹央がその華奢な身にまとっているのは、純白のナース服だった。

「そうですよね。鷹央先生のナース服姿、犯罪的に可愛いですよね。一生懸命、選んだ甲斐がありました。わー、鷹央先生のスカートとか超レア。超可愛い」

隣ではしゃいだ声を上げる鴻ノ池も、パンツスタイルのナース服を着ている。体にフィットしているので、その引き締まったスタイルがはっきりと浮かび上がっていた。

昨日、一日の勤務が終わった僕と鴻ノ池が、天医会総合病院の屋上に建つ〝家〟に戻ると、ソファーに寝そべっていた鷹央がいきなり声を上げた。「やはり『吸血鬼』のカルテを見る必要がある！」と。

一昨日、北条総合病院のホスピスに入院していたのが、ファン・チェットではなく、連続殺人事件の容疑者である『吸血鬼』だと知った鷹央は、「そいつのカルテを見せてくれ！」と叫ぶように作田に頼んだ。そのときの記憶が頭の中に蘇ってくる。

「なぜ、先生にカルテを見せる必要があるんですか？」

作田の声、そして態度は不信感で飽和していた。当然だろう。天医会総合病院に担ぎ込まれた患者の治療のため、その人物の診療記録を見せて欲しいという建前でやってきたのだ。患者が別人だったのなら、診療記録を見る必要などないはずだ。

どう取り繕ったものか必死に頭をひねる僕を尻目に、鷹央は再び声を張り上げた。

「『吸血鬼』の診療記録だぞ。検査データがあるんだぞ。本当に吸血鬼が存在するなら極めて貴重な情報だ。吸血鬼の身体構造は人間と同じか、それとも伝説と同じようにコウモリやオオカミに化ける能力はあるのか銀の弾丸を打ち込んだり心臓を杭でさすことで殺せるならそれはどのような理論で起きているのか太陽の光を浴びたら本当に灰になるのかなぜ一般的な食事ではなく血液を摂取する必要があるのか」

無限の好奇心が暴走し、ほとんど息継ぎをすることもなく早口でまくし立てる鷹央に、作田の顔には恐怖に近い色が浮かんだ。

「な、なにを言っているんですか。吸血鬼なんて現実にいるわけがない。あの患者の単なる妄想ですよ」

「なぜそう断言できるんだ」

「なぜって……、常識的に……」

「常識！」

鷹央はひときわ大きな声を上げた。

「『常識』などというものは、生まれてきた環境により生み出された偏見でしかない。かつて、地面は平面で不動であり、太陽・月・星々がその周りを回っているというこ

「しかし、いいんですかね。まだ午後三時ですよ。就業時間中に統括診断部が全員、病院を留守にするなんて」

「今日は、午前は外来、午後は回診などの病棟業務の日だ。いま統括診断部に入院している患者はいないし、他科からの診察依頼も午前のうちに終わらせた。やるべき仕事は終えてきたんだから誰にも文句言われる筋合いはない」

「真鶴さんにばれたらたぶん、折檻されますよ」

「……姉ちゃんにバレたときは、外で小鳥にナース服のコスプレを強要されていた、っていうから大丈夫だ」

「絶対にやめて下さいよ！」

そんな会話をしながら、僕たちは北条総合病院本館の三階にあるナースステーションの近くまでやってくる。

「本当にやるんですか？　いくらなんでも、全く知らない医師とナースがナースステーション内をうろうろしていたら、気づかれますよ。やっぱりやめませんか」

無駄な抵抗と理解しつつも、僕は押し殺した声で言う。

「大丈夫だ。調べたところ、この病棟は混合病棟になっていて、様々な科の医師が訪れる。この規模の大病院では、顔を知らない医師なんていくらでもいるから怪しまれない」

「それなら、なんで鷹央先生と鴻ノ池はナース服を着ているんですか」

「舞が『こっちの方が自然で疑われませんよ』って言ってきかないから……」

僕が横目でじっとりとした視線を送ると、鴻ノ池は「えへ」と舌を出した。

こいつ、鷹央先生にナース服を着させたいから適当なこと言ったな。

「まあ、大丈夫ですよ。他の病棟のナースが、処置のためにドクターについてくることって珍しくないですから」

本当に大丈夫なんだろうか。ばれたら大問題になるのだが……。

「さて、行くぞ」

悩んでいる僕の前で、鷹央は拳を突き上げ、迷うことなくナースステーションへと入っていった。賽（さい）は投げられた。もはや後戻りはできない。僕は仕方なく、顔を伏せながら鷹央のあとを追う。

ステーション内には三人の看護師がいた。全員、忙しそうに動き回っていて、僕たちを気にする様子はなかった。とりあえず、すぐに不法侵入に気づかれることはなさそうだ。僕が胸を撫でおろしていると、鷹央はすたすたと電子カルテの前に置かれている椅子に座り、マウスを操作しはじめした。

「パスワードでロックされているな。まあ、当然か」鷹央はこめかみを掻く。

「ハッキングして、パスワードを突破したりできないんですか？」

鴻ノ池が小声で訊ねると、鷹央は肩をすくめた。

「もちろん、私なら可能だ。ただ、そのためには私が自作したパソコンをここに持ち込んで作業する必要がある。電子カルテは情報が漏れないよう、基本的にネットとは繋がっていないクローズドな環境で運用されているからな」

「それじゃあ、無理じゃないですか」

僕の苦言に、鷹央は「んなこと分かってるよ」と眉間にしわを寄せる。

「もっと簡単に電子カルテのパスワードを調べる作戦があるんだよ」

「作戦ってなんですか？」

きっと、ろくでもない『作戦』なんだろうな……。

「それは……」

鷹央がそこまで言ったとき、背後から「おーい、そこのナースさん」という聞き覚えがある声がかけられた。僕たち三人の体が、同時に震える。

僕はおそるおそる首だけ回して、背後を確認する。数メートル離れたナースステーションの入り口辺りに、予想通りの人物が立っていた。作田。一昨日話を聞いた医師。

僕は慌てて正面に向き直る。この状況でよりによって作田に会うとは。もし顔を見られたら、不法侵入がバレて、下手したら警察沙汰だ。

隣を見ると、表情を強張（こわば）らせた鴻ノ池の額から、止（と）め処（ど）なく脂汗が湧き出していた。

「あれ、聞こえないのかな？　そこのナースさん、CVをするから処置についてくれ。三〇七号室に入院している担当患者さんの中心静脈栄養をはじめたいんだよ」

鴻ノ池が助けを求めるような眼差しを投げかけてくる。

お前もこの作戦にノリノリだっただろ。自分で何とかしろよ。そんな気持ちを込めて、僕は「行け」というように軽くあごをしゃくる。

鴻ノ池は恨めしげに僕を睨むと、「は、はい！」と裏声を出し、うつむきがちに作田に近づいていく。

「悪いけど、準備をしてくれるかな。ダブルルーメンの十四フレンチでいいや。手袋は七でよろしく。とりあえず、まずは三号液でライン作っておいて。それを流してから、そのあと高カロリー補液の指示を出すよ」

「わ、分かりました」

「じゃあ、俺は先に患者さんのところに行っているから、準備ができたら来てくれ」

踵を返した作田がナースステーションから出ていこうとするのを見て、僕は安堵の息を吐く。緊張で強張っていた鴻ノ池の表情も弛緩していく。

なんとか気づかれず済んだ。そう思ったとき、「作田先生」という声が響いた。僕は目を見開いて声を出した人物を見る。電子カルテの前に座ったままの鷹央を。

「ん、なんだい？」

せっかくナースステーションから出ていきかけていた作田が、再びこちらを向く。僕と鴻ノ池は慌てて顔を伏せた。

「CVの確保に三号液を使うなら、注射箋のオーダーをしてくれ……して下さい」

敬語に慣れていない鷹央は、人工音声のようにたどたどしく喋る。

「鷹央先生、なに考えているんですか？　やめて下さいよ」

僕は作田に聞こえないように小声で言うが、鷹央は黙殺する。

「オーダーなら、CVをとったあとにちゃんとやるよ」

「ダメだ……です。そう言って、オーダーを忘れる人が多いんであります。うちの病棟では、最初にしっかりと注射箋の入力をしてもらうように、なっているです」

鷹央はもはや敬語なのかなんなのか分からないセリフを吐く。

「……分かったよ」

作田は大きな足音を響かせながら近づいてきた。僕と鴻ノ池は慌てて顔をそむけた。鷹央の隣の椅子に腰かけた作田はキーボードをカタカタと叩き、電子カルテにログインした。ディスプレイにこの病棟に入院している患者の一覧が表示される。その様子を、鷹央は隣でじっと凝視していた。

そうやって、『吸血鬼』の診療記録を覗き見するつもりだろうか？　しかし、この状況で作田が、すでに退院している『吸血鬼』のカルテを開く可能性は低い。

ぶつぶつとつぶやきながら注射箋のオーダー画面を出していた作田の、ストラップで首からぶら下げている院内携帯がぶるると震えはじめる。

「はい、消化器内科の作田」

右手でマウスを操作しながら、作田は左手に持った院内携帯を顔の横に当てた。

「え、ファミリーが病状説明をして欲しがっている？　アポはなかっただろ。ちょっと待ってもらえないのか？　ああ……、分かったよ……。すぐに行く」

通話を終えた作田は重いため息をつき、椅子から立ち上がった。患者の家族が急にやってきて、病状について主治医にすぐに説明をして欲しいとごねているのだろう。

チャンスだ。重い足取りで僕のそばを通り過ぎていく作田を横目で見て、僕は小さく拳を握り込む。いきなり呼び出されたことで、作田は電子カルテのログアウトを忘れている。これなら、『吸血鬼』の診療記録を見ることができる。

ディスプレイを覗き込もうと思わず一歩足を踏み出したとき、すれ違っていた作田が「ああ、そうだ」と足を止めた。僕は『だるまさんがころんだ』をするかのように、前傾していた体をぴたっと止める。

「消しとかないとな……」

作田は立ったままマウスを操作して『ログアウト』にカーソルを合わせ、クリックをする。表示されていた注射箋のオーダー画面が消え、待機画面に戻った。

ああ……。内心でうめき声をあげている僕と再度すれ違うと、作田は今度こそナースステーションをあとにした。僕は作田が座っていた席に腰掛けると、マウスを動かす。しかし当然、ＩＤとパスワードを要求するウィンドウが表示されるだけで、診療記録を閲覧することはできなかった。

「鷹央先生、どうするんですか？　なんの意味もなかったじゃないですか」

「意味がなかった？」鷹央はまばたきをする。「なに言っているんだ。作戦通りだ」

「作戦通りって、どういうことですか？」ナース服姿の鴻ノ池もやってくる。

「いつも言っているだろ。私には映像記憶能力があると。そして私はさっき、作田がＩＤとパスワードを打ち込んでいるときの手元をじっくりと観察した」

「え、それってもしかして……」

僕が目を見開くと、鷹央は「ああ、そうだ」と、ピアニストが鍵盤を叩くかのように、優雅な手つきでキーボードを叩き出す。

「あいつが入力した動きを、完全に再現できるってことだ」

最後に『Enter』を鷹央が叩くと、画面に入院患者の一覧が表示される。

鷹央は得意げに口角を上げた。

「さて、『吸血鬼』のカルテを見せてもらうとするか」

「早く！　早く開いて下さいよ！」

鴻ノ池が僕の腕を摑んで押しのけようとする。

……こいつ、どんどん僕の扱いが雑になっていくな。僕は顔をしかめながら、前に座る鷹央の肩越しに、電子カルテのディスプレイを眺める。

作田のＩＤとパスワードで電子カルテのログインが可能になった僕たちは、ナースステーションを出て、病棟の隅にある病状説明室へと移動していた。

患者やその家族に病状を説明する際に使用するこの部屋には、検査データなどを見せるために電子カルテが一台置かれているし、鍵もかかるので邪魔されることなく診療記録を閲覧することができる。扉の外側についている表示を『空き』から『使用中』に変えると、僕たちは錠をかけ、電子カルテを開いたのだった。

「そんなに焦るなって。時間は十分にあるんだ。じっくりとやろうじゃないか」

舌なめずりをしながら、鷹央は目的の患者の記録を探していく。

「ああ、これだな。『神津』ってやつだ」

鷹央がマウスをクリックすると、画面に『神津』の診療記録が表示された。

「この前、作田に聞いたとおり、二ヶ月前、強い腹痛を訴えて深夜にこの病院にやってきている。急性腹症ということで、色々な検査をしているな」

知念実希人
新作&完全版
刊行開始
天久鷹央の推理カルテ
あめくたかお
Ameku Takao's Detective Karte
お前の病気、
ナゾ
私が診断してやろう。
実業之日本社文庫
© いとうのいぢ

「急性腹症って急に強い腹痛が起きたって状態のことですよね。だとすると色々な鑑別すべき診断がありますよね。例えば……」

　鴻ノ池は唇に人差し指を当てる。

「胃潰瘍とか十二指腸潰瘍の腹腔内穿孔、急性膵炎、胆嚢炎、胆管炎、虫垂炎、憩室炎、虚血性イレウス、それに腫瘍の壊死も。あと珍しいのだと、上腸管膜動脈症候群とかもありますよね」

「尿管結石とか心筋梗塞で『強い腹痛』を訴えることもあるから気を付けるべきだ。特に、心筋梗塞は致命的になりうるから、心電図は取っておいた方がいい」

　僕が付け加えると、鴻ノ池は「なるほど。勉強になります」と素直に頷いた。

　こいつ、研修医としてはこうして素直なのに、どうして普段の僕の扱いは雑なんだろう。先輩医師としては敬意を持たれているけど、人として舐められている……？

僕の冷たい視線に気づいた鴻ノ池は、やけに艶っぽく体をくねらした。

「なんですか、小鳥先生。そんな熱い目で私を見るなんて。もしかして、私のナース服姿に見惚れてます？」

「お前、冷温感覚が狂っているぞ」

　僕と鴻ノ池が中身のない会話をしている間に、鷹央はカルテを読み込んでいく。

「さすがに消化器内科の専門医だな。お前たちがいまあげた鑑別診断は、入院後に作田が全て検査で否定している。造影ＣＴにエコー、上下部の内視鏡、心電図などでは異常は指摘されていない」

「それだけ検査をして異常が出ないということは、やっぱりたんなる胃腸の痙攣だったんですかね」

僕はあごを撫でる。ウイルスなどによる感染性胃腸炎では、病原体を排出するため腸管が過剰に蠕動して下痢が引き起こされる。その際、胃腸が痙攣をして強い腹痛が生じることは珍しくない。

「作田もその可能性が高いと判断したようだ。ただ、下痢は見られなかったし、症状も長期間継続しているので、感染によるものは否定的だったようだな」

「感染が否定的ということは、機能性胃腸障害ですか？　過敏性腸症候群とか機能性ディスペプシアみたいな」

腸管の蠕動運動は、交感神経と副交感神経という二種類の自律神経によって制御されている。しかし、強いストレスなどを受けることでそのバランスが崩れ、腹痛、下痢、便秘、吐き気など様々な胃腸症状が生じることがあった。

「そうだな。作田もそれを強く疑っていたようだな。機能性胃腸障害は基本的に除外診断だ。他の器質的な疾患がないことを確認してからでなければ診断できない。ただ、いくら検査しても明らかな原因は分からなかったし、患者の精神状態が極めて不安定だった。機能性胃腸障害を疑うのもおかしくないな。ここを見ろ」

鷹央は画面を指さす。それは入院翌日の診療記録だった。

入院時のカルテは基本的にＳＯＡＰと呼ばれる書式で記される。患者の訴えである『subject』、診察した所見や検査データなどの客観的な情報を示す『object』、それらの情報から現状を推測する『assessment』、そして今後の計画を記す『plan』。そのうちの患者の言葉を示す『Ｓ』を見て、僕は喉の奥からうめき声を漏らしてしまう。


私は吸血鬼です。血を吸う汚い怪物です。だから私は、棺桶のカギとともに、まだ穢れていない私を二度見つからぬよう埋葬しました。


そこには患者の言葉として、そう記されていた。

「この診療記録は作田ではなく、北条という医師が書いているな。カルテに『Akira Hojo』と署名がしてある。北条ということは、この医療法人の経営者の親戚か？　精神症状にフォーカスした内容なので、おそらく精神症状の担当医というところか」

ひとりごつようにつぶやくと、鷹央はマウスを動かして画面をスクロールしていく。

患者の現状を推測する『Ａ』の欄には『＃妄想性障害　＃希死念慮　＃統合失調症の疑い』と記されていた。

「統合失調症で自分を吸血鬼だと思い込み、それに苦しんで自傷の危険があるって状態ですかね。けれど、『棺桶』とか『穢れていない私』とか、よく分かりませんね」

鴻ノ池は画面を覗き込む。「ああ、そうだな」と頷き、さらに画面をスクロールしていった鷹央の体がピクリと震える。僕と鴻ノ池も、その翌日の診療記録の『S』の欄に記されている患者の言葉を見て息を呑んだ。

どうか私を殺してください。そうしないとまた私は人を殺して、その血を飲んでしまいます。

「また殺してってことは……」かすれ声で鴻ノ池がつぶやく。

「ああ、殺人の告白だな。しかし、担当医はあくまで妄想の一部であると判断し、本当に神津が人を殺したとは思っていなかったようだ。一応、他の患者と接触して興奮させないようにと、まだ仮稼働中の緩和病棟に移動することを決めたらしい。そして、それから数日前まで神津はこの病院に入院し続けていた」

「え、それっておかしくないですか？」僕は思わず声を上げる。「だって、神津が入院している期間にも吸血鬼連続殺人事件は起きていますよね。だとしたら、神津は犯人じゃないってことになりませんか」

「そうだな」

小さく頷いて電子カルテを確認していった鷹央の顔が、次第に険しくなっていく。その口から、「なんだよ、こりゃ……」と吐き捨てるように言葉が漏れた。

「どうしました？」

鴻ノ池が訊ねると、鷹央は苛立たしげにテーブルを叩いた。

「夜になると頻繁に神津が病院を抜け出していたと、看護記録に書かれている」

「病院を抜け出していた⁉」僕は思わず甲高い声を出してしまう。「でも、患者が夜にいなくなったりしたら問題になるじゃないですか？　それを頻繁になんて……」

「最初に気づいたときは、看護師が慌てて担当医に連絡をしたようだな」

「担当医って作田先生ですか？」

「いや、北条とかいう医者だ。どうやら消化器症状については作田が、精神症状については北条が全て担当していたようだ。記録によると最初は大きな騒ぎになったらしい。未明に神津は帰ってきて、どこに行っていたかという北条の問いに、『庭を散歩していた』と答えたということだ」

「散歩って、それで納得していいんですか？　本来なら閉鎖病棟への入院をした方がいいくらい、精神症状が強かったんですよね」

僕が呆れると、鷹央は診療記録と看護記録を素早くスクロールさせて読んでいく。

「戻って来たときの神津はかなり精神症状が安定していたらしい。夜に庭園を散歩することは、神津にとって一種の作業療法のような効果があると判断したようだな。なので、夜間の神津の外出を許可して、というか見て見ぬふりをしていたようだ」

「見て見ぬふりって、作業療法なら普通は看護師とか精神科医がついているものじゃないですか？　単に外出を許可するって、危険なんじゃ……」

「あのホスピスは仮稼働中で十分なマンパワーを割ける状態ではなかったし、夜間は看護師が少ない。庭園はまだ開放されていないし、夜は立入禁止なので、他の患者と接触することもない。そういう判断だったようだな。それにそもそも別館は夜間、看護師が常駐していなかったらしい」

　画面を眺めながら鷹央は鼻の頭を掻く。

「常駐していないって、入院患者が急変したらどうするんですか？」

「ナースコールは本館に転送されて、そこの看護師が担当していたようだな。あと、心電図モニターも本館でチェックしていて、異常があったらすぐに本館から看護師が駆け付ける体制みたいだ」

「それだと、『吸血鬼』が夜に抜け出しても、ほとんど気づけませんよね。それに、そんな状況じゃあ、神津が本当に庭園にいたかは分かりませんよね」

「ああ、あの別館のそばには外部に繋がる扉がある。そこから外に出られたはずだ」

「それって……」鴻ノ池が声を潜める。「夜中に病院から抜け出して人を殺して、夜が明ける前に戻ってくることも可能だったかもしれないってことですか」

「可能だったのは間違いないだろうな」

鷹央の説明を聞いて、思わず鼻の付け根にしわが寄ってしまう。

「無責任な。患者を管理できないなら、しっかりと治療することが出来る精神科の専門病院に転院させるべきだったのに」

「まあ、そう興奮するなって。かなり強い精神症状を呈しているうえ、本名も分からなければ、身元を引き受けてくれる者もいない外国人患者だぞ。国籍もはっきりしないので、大使館に連絡も取れない。そんな状態の患者を簡単に引き受けてくれる精神科病院が見つかると思うか？」

鷹央に諭され、頭にのぼっていた血が下がっていく。

「いえ、思いません……」

「だろ。それに、少なくとも担当医は入院してカウンセリングを続けることで、神津がいくらか心を開きはじめていて、治療のきっかけが見えはじめていると判断していた。それに、入院のきっかけになった腹痛はその後もたびたび生じていて、作田がその原因を突き止めてどうにか治療しようとしていたようだ。この病院なりに良かれと思ってやったんだろう」

「でも、連続殺人犯に昼間の隠れ場所を提供していただけかもしれないんですよね。そのせいで、警察の捜査が滞ったんじゃないですか」

「そうかもしれないが、結果論で責めるのは酷だろ。まさか、神津が本物の吸血鬼さながら、被害者の血液を吸って殺しているとは夢にも思わなかっただろうからな」

鷹央はさらに記録を確認していく。

「カルテの『サブジェクト』の欄がかなり長くなってきている。神津が心を開きはじめていたというのは、担当医の勘違いというわけではないようだな」

「なにか、手がかりになりそうなことは書いてありますか？」

身を乗り出した僕は、鷹央の肩越しに画面を覗き込む。

「特にこれといった……」

そこまで言ったところで、鷹央は言葉を止める。

汚れてしまった私はもうクリスタルではありません。たんなる神津です。クリスタルの私は埋葬しました。もう、私は昔の私には戻れないから。

「クリスタルじゃなくて、たんなる神津ってどういう意味でしょうね。あまり意味が通っていないような……。言葉の問題なんでしょうか？」

鴻ノ池がつぶやくと、鷹央は画面を凝視したまま、「いや……」と小声で言う。

「このカルテには『埋葬』というそれなりに難しい単語を使ったと記されている。神津の日本語の能力はかなり高かったはずだ。だとすると、この『クリスタルではなくなって、神津になった』という言葉にもなにか意味がある。……もしかしたら、これが手がかりなのかもしれない」

鷹央は口元に手を当てた。

「もともと『クリスタル』と呼ばれていた……、汚れて『たんなる神津』になった……、本当は『神津』という漢字ではないと作田に言っていた……、けれど漢字で『こうづ』をどう書くのか頑なに答えなかった……」

これまでに得てきた情報をぶつぶつとつぶやいていた鷹央が、はっと息を呑んだ。

「漢字……、そう、漢字だ！」

鷹央は叫んで立ち上がる。勢いで椅子が倒れ、大きな音を立てた。

「なんでこんな簡単なことに気づかなかったんだ！　そうだ、こうづは『神津』なんかじゃない。吸血鬼は最初から名乗っていたんだ。漢字にすれば明らかじゃないか！」

頬を紅潮させてまくし立てる鷹央に圧倒されつつ、僕はおずおずと口を開く。

「あの、鷹央先生、なにを言っているのかまったく分からないんですけど、説明してもらってもいいですか」

「説明？　そんなものはあとだ。いまはまず……」

鷹央はナース服のポケットからスマートフォンを取り出すと、電話をかけはじめる。

「ああ、桜井か。ちょっと調べてもらいたいことが……。ああ、捜査会議？　そんなものサボればいいだろ！」

「いや、よくないでしょ……」

小声で突っ込みながら、僕が鷹央の通話に耳を傾ける。桜井に連絡を取ったということは、『吸血鬼』に関する大きな手がかりに鷹央は気づいたに違いない。しかし、『クリスタルではなく単なる神津になった』という意味不明の文章から、いったい何が分かったというのだろう。

「ああ、そうだよ。捜査会議なんかよりも遥かに重要な情報が手に入ったんだ。……ああ？　それが何かって？　聞いて驚くなよ……」

不敵な笑みを浮かべた鷹央は、舌なめずりするように唇を舐める。

「『吸血鬼』の本名だ」

「『吸血鬼』の本名⁉」「本名が分かった⁉」

僕と鴻ノ池の驚きの声が重なる。そんな僕たちを見て、鷹央は得意げに目を細めるとスマートフォンに向かって言葉を続ける。

「タック・ユオンだ。そう、タック・ユオン。ベトナム人のはずだ。行方が分からなくなっているベトナム人の技能実習生の中に、タック・ユオンという男がいないか、すぐに確認しろ。分かったな」

　桜井が何か言っているのが聞こえるが、鷹央は無視して通話を終えると、スマートフォンをポケットに戻した。

「どうした、お前たち。ハトが散弾銃を喰らったような顔して」

「散弾銃を喰らったら死んじゃうじゃ……。いや、そんなことよりも、なんで『吸血鬼』の名前が分かったんですか？　タック・ユオンなんて名前どこから？」

「どこからって、『神津』からだよ」

　鷹央は肩をすくめると、倒れていた椅子を戻して腰掛け、再び電子カルテのディスプレイを眺めはじめる。

「『吸血鬼』は最初から名乗っていたんだよ。しかし、現場に自分を示す水晶を残すとはな。精神的に不安定なのは間違いないだろう。本当に自分を止めて欲しいと思っていたのか、それとももはや、なにをしているのか分からなくなっていたのか……」

　ひとりごつように話し続ける鷹央に、僕と鴻ノ池は渋い表情で顔を見合わせる。詳しく説明してくれる気はさらさらなさそうだ。いつもこうやって、『謎』が解けてもすぐには説明せず、もったいをつけるのだ。

　これでは生殺しだ。文句を言おうと僕が口を開きかけたとき、鷹央の華奢な肩がびくりと大きく震えた。

「どうしたんですか？」

僕が訊ねると、鷹央は険しい顔で電子カルテの画面に表示された『S』、患者の発言を記した部分を指さす。それは、神津と名乗っていた男が姿を消す前日の診療記録だった。

腹が減った。もっと血が欲しい。コウモリを殺して、その血を飲まなくては。

「もっと血が欲しい……」

僕がかすれ声でその文字を読むと、鷹央は「それだけじゃないぞ」とさらに診療記録をスクロールしていく。診察や検査で得られた情報を示す『O』の欄を見て、胸の中で心臓が大きく跳ねた。

抑うつ症状の改善のため、晴天の中で庭園散策による運動療法を施行。日光に晒されて数分で強い痛みを訴えたために中止。皮膚に重度の炎症を確認。

その記載とともに、皮膚の状態を撮影した画像が貼られている。そこには、火傷(やけど)をしたかのように皮膚が赤く爛れた腕や首元、そして顔の下半分が映し出されていた。

鴻ノ池が震える片手で頭をおさえる。

「ちょっと日光を浴びただけで、こんなになるなんて……」

「皮膚だけじゃない。これを見ろ」

鷹央は神津の顔の下半分を写した画像の口元を指さす。水疱が浮かび、力なく開いた唇の向こう側に、尖った歯が見えた。まるで、獣の牙のように鋭利で長い歯が。

「……まさに『吸血鬼』だな」

鷹央のつぶやきが、狭い部屋の空気を揺らした。

4

「これが、タック・ユオン、正式な名前はタック・ヴァン・ユオンの資料です」

桜井が差し出した紙の束を、ソファーに座っていた鷹央は奪うように手に取る。

北条総合病院で（不法に）カルテを見た翌日の夕方、桜井が成瀬を引きつれて天医会総合病院の屋上に建つ〝家〟を訪れていた。

鷹央がせわしなくめくっていた資料から、一枚の写真が零れてローテーブルに落ちる。そこには精悍な顔に屈託のない笑みを浮かべる、外国人青年の姿が写っていた。

「これが……」

僕が写真を手に取ると、桜井が「はい」と頷く。

「彼がタック・ユオンです。五年前に日本に技能実習生としてやってきて、三年前に失踪したベトナム人の男性です」

「そして、『吸血鬼』の正体でもある」

資料から顔を上げた鷹央が得意げに言う。

「あの、それは本当なんでしょうか？」

「なんだ、桜井。私を疑うのか？」

「いや、疑うとかではなく、昨日はなんの説明もして頂けなかったもので……」

桜井は苦笑すると、鳥の巣のような頭を掻いた。

「どなたかの説明不足のせいで、捜査員を動員するわけにもいかず、桜井さんと俺の二人で必死に各所に問い合わせてその資料を集めたんですよ」

成瀬が当てこするように言うが、鷹央は気にしたそぶりも見せず「それはお疲れさん」と軽く手を挙げる。成瀬の眉間に深いしわが寄った。

「しかし、問い合わせるだけでこんな簡単に資料が手に入るとは、さすがは警察、桜の代紋の威力は絶大だな。お前らに頼んだのは正解だったよ。私たちだとまた昨日みたいなことをする羽目になるところだった。コスプレはもうこりごりだ」

「……昨日、なにをしたんですか？」

　成瀬の目がすっと細くなる。鷹央が刑事の前で不法侵入を自白する前に、僕と鴻ノ池は慌てて「なんでもないです！」と声を張り上げた。

「まあ、そんなことよりさっさと説明して下さいよ。どうしてこのタック・ユオンが『吸血鬼』なんですか？　納得できる説明をしてもらえないなら、その『昨日したこと』について、詳しく話を聞かせて頂くことになりますよ……」

　成瀬の視線が鋭くなる。鷹央はどこか挑発的な笑みを浮かべると、両手を広げた。

「簡単だよ。遺体の手についていた点滴針固定用のテープから、私たちはファン・チェットがどこかの医療施設に入院していた可能性が高いとすぐに気づいた」

「あのとき、そのことに気づいていたんですか⁉」成瀬が目を剝く。「なんで言わなかったんですか！　捜査本部ではようやく昨日、あのテープが医療現場で使われるものだと報告が上がってきて、今日から捜査員たちが虱潰しに周囲の病院に当たっているんですよ。四日前に教えてくれれば、無駄な手間をかけないで済んだのに」

「なんでって、お前たちが問答無用で私を現場から追い出したんだろ」

　反論に、成瀬の唇が歪んだ。

「鷹央先生は常に我々の一歩先を行かれている。さすがですな……。それで、くだんの病院は見つかったんですか？　分かっているようなら教えて頂けますか？」

桜井に分かりやすく持ち上げられた鷹央は鼻を膨らませると、「清瀬にある北条総合病院だ」と答える。

「そこにファン・チェットが入院していたんですね」

「いいや、違う。そこに入院していたのは『吸血鬼』だ」

桜井と成瀬の目が大きく見開かれる。

「『吸血鬼』がそこに入院していたって言うんですか⁉」

さすがの桜井も冷静さを失ったのか、その声は裏返っていた。

「そうだ。そしてその男は、かつて自分は『クリスタル』というニックネームで呼ばれていたと言っていた」

「クリスタル……、水晶……。現場に残されていた水晶は、自分の犯行だということを示すシンボルというわけか。その男が、タック・ユオンと名乗っていたんですね」

勢い込んで訊ねてきた桜井は、鷹央に「違うぞ」と一言で切り捨てられ、拍子抜けしたような表情を浮かべる。

「その男は神社の『神』と、津波の『津』で『神津』という名で登録されていた。男自身が『こうづ』と名乗ったらしい。ただ、『漢字が違う』と主張していた」

「漢字が違う？　なら、本当はどういう漢字を書くんですか？」

「それについては答えなかったそうだ」

「よく分かりませんね。全く名乗っていないのに、どうして鷹央先生はその男の本名が分かったんですか？　そもそも、なんで漢字だけ隠す必要があるんですか？」

首を捻る桜井の鼻先に、立ち上がった鷹央が「それだ！」と人差し指を突きつける。

桜井が反り返った。

「そ、それだって、どれでしょう……」

「漢字だよ。漢字。それこそが『吸血鬼』の正体を暴くための極めて重要なファクターなんだ。カルテには『吸血鬼』の言葉としてこう書かれていた。『汚れてしまった私はもうクリスタルではありません。たんなる神津です』とな」

鷹央は再びソファーに腰掛けると、足を組んだ。

「クリスタルではなくて神津？　ますます意味が分からないのですが」

「なあ、クリスタル、つまり水晶とはなんだ？」

「なんだと言われましても……。宝石、ですよね？　あと占い道具とか」

桜井が首をすくめると、鷹央はこれ見よがしにため息をついた。

「なんだよ、その子供みたいな答えは。少しは科学にも興味を持てよな。知識ってやつは武器になる。特に『謎』と対峙し、その正体を暴くための武器にな」

「申し訳ありません……。それで、水晶がどう関係しているんでしょうか？」

おずおずと桜井が訊ねると、鷹央は顔の横で左手の人差し指を立てる。

「水晶の主成分は二酸化ケイ素だ。二酸化ケイ素は六角形の結晶を自形しやすいという性質を持っている。その結晶化した二酸化ケイ素のうち、無色透明のものを水晶、英語ではクリスタル、もしくはロッククリスタルと呼称する。ちなみに、英語のクリスタルは水晶だけでなく、『結晶』という意味も持っている。二酸化ケイ素がどれだけ結晶化しやすいかを示しているな」

「なんか、小学生のときに受けた理科の授業を思い出しますね。けれど、それが『神津』と名乗っていた吸血鬼とどう関係するんでしょうか？」

「いまから説明するんだから、黙って聞いていろよ」

鷹央に睨まれた桜井は、唇に指を当てると、ジッパーを閉めるように横に引いた。

「水晶と呼ばれるためには『無色透明である』という条件がある。つまり濁りが生じていた場合、それは水晶ではなく、『単なる二酸化ケイ素の結晶』になるというわけだ。さて、『二酸化ケイ素の結晶』はなんと呼ばれると思う？」

鷹央はもったいをつけるように僕たちの顔を見回したあと、ゆっくり口を開いた。

「クォーツだ。結晶化した二酸化ケイ素はクォーツと総称されるんだ。よく腕時計などに使用される物質だな。クォーツ時計って聞いたことあるだろ」

「クォーツ⁉　それってもしかして……」

僕が甲高い声を上げると、鷹央は鷹揚に頷いた。

「そうだ。『吸血鬼』は最初から自らを『クォーツ』と名乗っていたんだ。しかし、作田たちはそれを日本の姓である『神津』と名乗っていると思い込んでしまった。『汚れてしまった私はもうクリスタルではありません。たんなるクォーツです』というセリフ。あれはつまり、自分は汚れて無色透明でなくなったので水晶から、たんなる二酸化ケイ素の結晶になってしまったという意味だったんだ。つまり……」

鷹央がさらに説明をしようとしたところで、成瀬が「ちょっと待って下さいよ」と、上ずった声を上げる。

「『神津』じゃなくて、『クォーツ』と名乗っていたとしても、しょせんはニックネームでしょ。なんで、それで『吸血鬼』の本名が分かるって言うんですか?」

「それを説明するんだよ。話を聞きたいなら、その分厚い上下の唇を縫い付けてでも黙っていろ」

話の腰を折られた鷹央は、苛立ちを言葉に乗せて成瀬にぶつけた。

「まあ、いま成瀬が言った通り、クリスタルもクォーツもニックネームだ。しかし、あだ名というものは概して、本名を元にして名付けられるものだ。さて、ここで吸血鬼が『神津』と登録されたとき『漢字が違う』と言ったものの、ではどのような漢字か聞かれても答えなかったことが重要になってくる。答えなかったのは、『クォーツ』の漢字が明らかになることで、自分の身元が明らかになると考えたからだ」

「『クォーツ』の漢字？　なんで英語に漢字がつくんですか？」

小首をかしげる鴻ノ池を、鷹央が「それだ」と指さす。

「そう、英語に漢字がつくのはおかしい。けれど、日本語だったらどうだ？」

「日本語だったら？」

鴻ノ池がいぶかしげにくり返す、鷹央は纏っていた白衣の胸ポケットから万年筆を取り出し、キャップを外した。

「そうだ。クォーツ、つまり二酸化ケイ素の結晶は日本語ではこう呼ばれる」

ローテーブルに置かれた資料に、鷹央は万年筆で流れるように二文字の漢字を記す。


『石英』


「石英、これこそが二酸化ケイ素の結晶を表す日本語にして、吸血鬼の本名だ」

鷹央は指揮者のように、万年筆を持った左手を勢いよく振った。

なにか、『説明終わり』という雰囲気になっているが、『石英』が吸血鬼の本名と言われても、なにがなんやら分からない。鷹央以外の全員が狐につままれたような表情を晒し、どうにも居心地の悪い沈黙が流れる。

「あの……、『石英』が本名ってどういうことでしょうか？」

僕が恐々と訊ねると、鷹央は「あ？」と剣呑な目付きで僕を見下ろしてきた。

「お前、まだ分からないのか？　脳みそにスポンジでも詰まっているのか？」

「いえ、あの……。すみません」

なんで僕だけ叱られているのだろう。理不尽をおぼえつつも僕が謝罪すると、鷹央は軽くウェーブのかかった髪を乱暴に掻き上げた。

「さっき桜井にも言ったが、知識というものは事件と戦うための武器になる。名探偵を目指すなら、常に学んで様々な知識を広く蓄える必要があるんだ」

「いや、別に名探偵を目指してはいないのですが……」

「なに言っているんだ！　お前、それでもワトソンか？」

「僕はワトソンじゃなくて、医者です」

「ワトソンは医者だ」

「このやりとりはこの前もやりました。もうワトソンでも探偵見習いでもいいですから、吸血鬼の本名について説明して下さい」

投げやりに言うと、鷹央は「しかたねえなあ……」と心の底から面倒くさそうにつぶやいて、さらなる説明をはじめた。

「吸血鬼が『石英』と名乗っていた。そして、吸血鬼はベトナムから来たと言っていた。ある知識があれば、ここから吸血鬼の本名を簡単に割り出すことが出来るんだ」

「『ある知識』ってなんですか？」

　僕の問いに、鷹央は再び左手の人差し指を立てる。

「ベトナムは東南アジアで唯一、漢字文化が残っているということだ」

「え、ベトナムって漢字を使うんですか？」鴻ノ池が驚きの声を上げた。

「使うと言っても日本や中国のように日常的に使用されているわけではない。ただ、文化としてはしっかりと残っていて、一定の頻度で使用されている。そして何より重要なのが、名前に漢字が当てられていることが多いということだ」

「名前に漢字⁉」鴻ノ池の目が大きくなる。「それってもしかして……」

「そう、『石』も『英』もベトナムではそれなりに姓名に使われる漢字だ。『石』は『タック』、『英』は『ユオン』と発音することが多いな」

「タック・ユオン……」僕は呆然とその名を口にする。

「あとは簡単だな。『吸血鬼』にはコウモリのタトゥーが彫られていた。つまりは、技能実習生をスカウトして、非合法活動をやらせる反社会組織の一員だった可能性が高い。だから、行方不明になっているタック・ユオンという名のベトナム人技能実習生がいないか確認してもらったわけだ。そうしたら、ビンゴ！」

　鷹央は左手の指を鳴らした。

「『吸血鬼』の正体の判明だ」

鮮やかな謎解きに誰もがあっけにとられ、言葉が出なくなる。さっきの居心地の悪いものとは明らかに違う沈黙に、部屋が満たされていく。

十数秒後、鷹央は「さて」と沈黙を破った。

「ここからは警察お得意の人海戦術の出番だ。死体遺棄事件の容疑者として指名手配したうえで、関係先を徹底的に洗えば、ほどなくタック・ユオンの身柄は確保できるだろう。この情報を捜査本部に伝えるお前たちも大手柄だ。というわけで、私はお前たちに大きなプレゼントをしてやったということになるな」

鷹央はあごを引くと、口元にいやらしい笑みを浮かべる。

「では、お返しをいただくとするか」

「お返しですか？　どういうことでしょう？」不思議そうに桜井が言う。

「なに空惚けているんだよ。情報の対価は情報に決まっているだろ。捜査本部が吸血鬼連続殺人事件について、いま摑んでいることを教えろ。洗いざらいすべてな」

僕は驚いて「え？」と目を大きくする。

「まだ捜査を続けるつもりなんですか⁉」

「当たり前だろ」鷹央は大きくかぶりを振る。「まだ吸血鬼の本名が分かっただけだ。『謎』が全て解けたわけでもない。こんな中途半端なところで手を引いてたまるか」

「けど、いま言ったじゃないですか。警察がほどなく吸血鬼の身柄を押さえるって。

それで事件は解決でしょ」

「……本当にそれで解決だと思っているのか？」

質問を返され、僕は言葉に詰まる。たしかにまだ『謎』はいくつも残っていた。

なぜ仲間であったはずのコウモリのタトゥーがある青年たちを、吸血鬼は襲ったのか。本当に血液を飲み干したのか。全ての犯行を一人でやったのか。どうやって全身の血液を抜き去ったのか。なぜ彼らは血のタトゥーを彫ることを強いられたのか。犯行はどこで行われたのか。犠牲者は全部で何人なのか。

そして何よりも……、タック・ユオンは本物の吸血鬼なのか？

そんなわけ、常識的にあり得ないと分かってはいる。しかし、北条総合病院のカルテに記されていた内容、特に牙のように見える歯と、日光によって焼け爛れた皮膚を思い出すと、自分の中にある『常識』というものが、波にさらされた砂の城のように崩れ去っていきそうな気がしていた。

「分かっただろ。警察の目的は連続殺人事件の犯人を逮捕し、送検すること。しかし、私たちの目的は似て非なるものだ。この事件の裏に潜んでいる『謎』をあばき、その真相を丸裸にする。それこそが名探偵の使命であるとともに、この異国の地で虐げられて命を落としてしまった若者たちに報いるための義務だ」

だから、僕たちは名探偵ではなく医者です。そんな野暮な突っ込みをいれることが憚られるほどに、鷹央の言葉には強い意志が込められていた。

「納得したか？」

鷹央に水を向けられた僕は、「はい」とあごを引く。鷹央は微笑むと桜井に視線を戻した。

「よし、それじゃあ仕切り直しだ。ほれ、さっさと情報を出せ」

「情報と言われましても、なにをご希望でしょうか？　捜査本部にはありとあらゆる情報が上がってきますので、それを全て説明していたら夜中までかかりますよ」

「……お前、聞かれないことは答えないつもりだな。まあいい、まずはタック・ユオンについて知っていることをすべて言え。この資料に書いていないことをすべてな」

鷹央はローテーブルに置かれた資料の山を平手で叩く。

「本当にそれしかわかりませんよ。鷹央先生からタック・ユオンについて調べるように指示されたのは昨日ですよ。一日でそれだけ調べただけでも褒めて下さいよ」

「惚けるなよ、この腹黒タヌキが。お前、そんなたまじゃないだろ。できるだけ私との交渉を有利に運ぶため、必死に情報を集めるはずだ。資料に記されていたタック・ユオンが働いていた工場は奥多摩町にある。少なくともここに来るまでに、その工場に出向いて、タック・ユオンの関係者から話を聞いてきただろ。違うか？」

鷹央に問い詰められた桜井は、「まいったなぁ……」と鳥の巣のような頭を掻く。

「おっしゃる通りです。こちらにお邪魔する前に、失踪前にタック・ユオンが働いていた工場を訪ねました」

「やっぱりな。それで、なにが分かった？」

　身を乗り出しローテーブルに片手をついた鷹央は、桜井の「いえ、なにも」という答えに、大きくバランスを崩した。

「なんだよ、お前ら。それでも捜査のプロか」

「しかたがないんですよ。その工場はかなり前に潰れていたんだから。わざわざ現地まで行ったのに、廃工場の入り口にはデカい南京錠がかかっていて、中に入ることはできなかったんですよ」

　成瀬がかぶりをふる。桜井が「そうなんですよ」と声を上げた。

「調べたところ、タック・ユオンが消えた三年前くらいから、資金繰りが悪くなっていたようですね。だから、技能実習生たちを低賃金で馬車馬のように働かせ、なんとか経営を立て直そうとしていた。しかし、非人道的な勤務を強制していたという情報が当局に入って監査が入り、その結果、不渡りを出して潰れたということです」

「そのとき、一緒に働いていた奴らに話を聞くことはできないのか？」

「それも無理ですね」桜井は肩をすくめる。「工場が潰れるのが分かった時点で、そこに勤めていた技能実習生たちは大部分が一気に姿をくらましたそうです。また社長は銀行だけでなく、街金、それどころか闇金にまで借金をしていたようで、夜逃げのような形で姿をくらませたらしいです」

「もとの勤め先からはなんの情報もないか」

鷹央は苛立たしげにがりがりと頭を掻いた。

「では、『いまの勤め先』の情報はどうだ？」

「いまの勤め先といいますと？」

桜井が首を傾けると、鷹央は舌を鳴らす。

「なにをごまかそうとしているんだよ。タック・ユオンやファン・チェットが所属していた、構成員にコウモリのタトゥーを彫らせている犯罪集団だよ。そういう反社会組織の監視は警察の仕事だ。お前らは、消えた技能実習生たちがどんな組織に取り込まれていたのか、ある程度は把握しているんだろ。それについてとっとと吐けよ」

「まいりましたねえ……。公安マターも入っているんで、一般の方に流していいような情報ではないんですよ。外部に漏らしたとバレたら、私のクビが飛びかねません」

「お前のクビと、まだ起こるかもしれない殺人事件を止めること、どっちが大切なんだ。警官なら市民を守るために命をかけるべきじゃないのか」

桜井は「これは痛いところをつかれました」と苦笑した。

「分かりました。お話ししましょう」

「ちょっと、桜井さん！」

目を剝く成瀬の肩を、桜井は軽くたたく。

「大丈夫だよ、成瀬君。鷹央先生たちは、情報を漏らしたりしないさ」

「そうだ、心配するな。私の口の堅さを信用しろ」

信用していいのかなぁ。この人、けっこうポロっと喋っちゃいけないことを漏らしたりするけど……。

力強く言う鷹央を見ながら、そんな考えが頭をよぎるが、口には出さないでおく。

桜井は「では……」と居ずまいを正した。

「彼らが所属していたのは、パニーキという組織と考えられています。その組織のメンバーは全員、コウモリのタトゥーを彫っています」

「パニーキ、タガログ語でコウモリを表す言葉だな。ということは、フィリピンと関係しているのか？」

「ええ、その通りです。パニーキはフィリピンに本拠地を置き、東南アジア全体で活動をしているマフィア組織です。主な収入源は麻薬の売買ですが、その他にも密輸、詐欺、売春、果ては人身売買や臓器売買にまでかかわっている危険犯罪組織です」

「人身売買……、臓器売買……。本当にそんなことまでしているんですか？」

鴻ノ池が蒼い顔で訊ねると、桜井は重々しく頷いた。

「治安のよい日本に住んでいる我々には、フィクションの中の出来事としか思えませんが、国が違えばそのような凶悪犯罪が『日常』に潜んでいるんです。特に途上国のスラム街などでは……」

「しかし、そのパニーキが活動しているのは東南アジアなんだろ。なんで日本国内にいたファン・チェットやタック・ユオンが、そんな犯罪組織に所属しているんだ？　最初からパニーキの構成員で、技能実習生のふりをして日本に入国してきたということか？」

「いえ、そうではありません。ファン・チェットをはじめ、日本で遺体が見つかったパニーキのメンバーたちは、母国にいた頃には反社会組織に所属していなかったことが確認されています。そもそも、パニーキは彼らの母国であるベトナムでは活動していなかったようです」

「つまり、そいつらは日本でパニーキに入ったってことだな」

「はい、そうです。東南アジアで勢力を伸ばしたパニーキはここ数年、距離的に近く、経済規模も大きな日本や韓国などへ進出を始めています。日本でのパニーキは『ジャパニーキ』と呼ばれていますね」

「海外マフィアの日本支部ってところか。安易なネーミングだな。しかし、この国での活動は厳しいんじゃないか？　私に比べて不可解な事件の謎を解くことには劣っているが、お前ら日本警察の犯罪抑止能力は世界的に見てもかなり優秀だろ。もし、日本で殺人や人身・臓器売買なんて行われたら、大事件になってすぐに大量の捜査員が動員される」

「ええ、その通りです」

珍しく鷹央に評価されたことが嬉しかったのか、桜井は目を細くした。

「ですから、日本ではそれほど大きな組織には成長していなかったようですね。劣悪な労働環境から逃げ出し、行くあてのない元技能実習生たちを取り込んで、主に違法薬物の売買を中心に活動していたようです。ただし、他の犯罪行為を行っていなかったかというと、そんなことはありません。日本から運ばれたと思われる、違法臓器移植のドナーがフィリピンで保護されたりしています。おそらく、それなりの数の、人身売買、臓器売買がジャパニーキによって行われていたでしょう」

「誘拐されて、海外に売られたっていうんですか？　でも、誰かが海外に売られるために拉致されたりしたら、すぐに気づかれて大騒ぎになるんじゃないですか⁉」

鴻ノ池が早口で言うと、鷹央があごを引き、押し殺した声でつぶやいた。

「構成員を売っていたのか……」

「はい、そう考えられています」桜井は重々しく頷いた。

「え？　え？　どういうことですか？」鴻ノ池は目を泳がす。

「簡単なことだ。家族や周りの人々がいるからこそ、消えたときに大騒ぎになる。なら、最初から行方不明になっている人間を使えばいい」

鷹央の言葉の意味をすぐには理解できなかったのか、数秒間固まったあと、鴻ノ池は大きく息を吞んだ。

「それじゃあ、消えた技能実習生の人たちを……」

「そう、彼らを『商品』として『輸出』しているんだ」

あまりにもおぞましい内容に、僕は思わず胸を押さえてえずいてしまう。そんな僕のそばで、鷹央は淡々と喋り続けた。

「まるで奴隷のように扱われ、逃げ出した元技能実習生たちを誘って、違法薬物の売買などの犯罪行為を行わせる。そして、彼らが警察などに目をつけられたところで、今度は拉致して海外へ労働力や臓器のドナーとして『販売』する。ある意味、極めて合理的なビジネスモデルだ。あまりにも非人道的で、鬼畜の所業であることを除けばな」

鷹央は吐き捨てるように言うと、鋭い視線を桜井に向けた。

「吸血鬼連続殺人事件の被害者全員、そして容疑者である『吸血鬼』、タック・ユオンがジャパニーキのメンバーだった。この事件にその組織がかかわっているのは間違いない。事件の真相が暴かれれば、ジャパニーキは壊滅させられる。そうだな」

「いえ、実はすでに壊滅はしかけているんですよ」

桜井の言葉に、鷹央は「どういうことだ？」といぶかしげに聞き返す。

「半年ほど前から、フィリピンの治安当局による大規模な掃討作戦がパニーキに対して行われました。その結果、組織のボスは二ヶ月前に警察との銃撃戦の末、射殺され、パニーキの力が弱まりました。それを見て、ジャパニーキは独立を試みました」

「本部と袂を分かち、上納金などを納めなくてもいいようにするということか」

「ええ、そうですね。それがパニーキの逆鱗に触れたようで、ジャパニーキへの攻撃が始まりました。麻薬の供給、海外への人身・臓器売買などのルートが潰されたうえ、ジャパニーキのボスへの暗殺指令まで出ているそうです」

「お前、そんな重要な情報を隠していたのか」

鷹央の糾弾に、桜井は「いえいえそんな」と胸の前で両手を振った。

「我々もパニーキについて知ったのはごく最近なんですよ。海外マフィアの案件ということで、情報は主に警視庁公安部が握っていまして……。ご存知のようにあそこは徹底的な秘密主義で、仲間であるはずの我々にもほとんど協力してくれないんです」

桜井は力なくうなだれる。本当に公安部を苦々しく思っているのか、それとも情報を隠していたことをごまかすための演技か。

「まあいい。重要なのは、そのジャパニーキが崩壊しはじめた時期と、吸血鬼連続殺人事件がはじまった時期が重なっていることだ。それが偶然なのか、それとも組織の崩壊がなんらかのきっかけになっているのか……」

　腕を組んで考え込んだ鷹央は、上目遣いに桜井に視線を向ける。

「で、ジャパニーキの関係者の捜査は進んでいるのか？　どんな奴がそんな畜生にも劣る、悪辣非道な行為をしていたのか分かっているのか？」

「私たちはそちらの捜査にはかかわっていないので、詳しいことは分かりませんが、かなり大詰めになっているようですね。組織のボスの正体に近づいているようです。ただ……」

「ただ、なんだ？」

　鷹央に水を向けられた桜井はため息をつく。

「そのような犯罪組織のボスは、捜査の手が迫ってくると、証拠を全て消し、資産を持って海外に逃亡することが多いんですよね。特に今回の組織は東南アジアと強いつながりがあります。すでに海外逃亡をしている可能性もあります」

「証拠を消して……」

　鷹央が口元に手を当てた。僕が「どうしました？」と声をかけると、鷹央は低くこもった口調でつぶやく。

「被害者たちこそ、『証拠』だったのかもしれない」

「それって……、どういう意味ですか？」

言葉の裏にあるおぞましいものの気配を感じて、声が震えてしまう。

「そのままの意味さ。フィリピンにあった本部との関係悪化により、ジャパニーキを支配していた人物は追い詰められ、姿を消すことを決めた。しかしそうなると、自分の手足として使っていた部下たちが邪魔になる。そいつらが捕まってボスの正体を漏らせば、捜査の手が自分にまで及ぶ可能性があるからな」

「そんな理由で仲間を殺したって言うんですか⁉」思わず声が大きくなってしまう。

「仲間なんかじゃなかったんだよ。さっき言っただろ、犯罪行為を強いて金を稼がせ、用済みになったら労働力や臓器のドナーとして売り払う。最初から使い捨ての便利な道具としか思っていなかったのさ」

「そんな……、相手は人間ですよ。未来ある若者たちですよ……」

一生懸命、日本語を勉強し、この国の技術を身に着けようと夢を持ってやってきた若者たち。しかし、実習先では安価な労働力として奴隷のように酷使され、それに耐えきれずに逃げた先で、まるで家畜のようにその尊厳を奪われた……。彼らのあまりにも悲惨な状況を想像すると、胸郭の中身が腐っていくような心地になる。

「だからこそ、今回の事件を解決して、技能実習生たちを食い物にした鬼畜たちの正体を白日の下にさらす必要があるんだ」

鷹央の口調には強い怒りが滲んでいた。

「あの、盛り上がっているところ、水を差すようで悪いですけど、ちょっと話がずれていませんか?」

成瀬が抑揚のない声で口をはさんでくる。

「今回の連続殺人事件の犯人は『吸血鬼』、つまりはタック・ユオンという男で、そのパニーキとかいう組織がやったわけじゃないでしょ」

「なんでそう言い切れるんだ?」

鷹央に質問を返された成瀬は、「なんでって……」と言葉を濁す。

「タック・ユオンが組織の命令を受けて殺しているのかもしれないし、奴こそがジャパニーキのボスだった可能性もある。そもそも……」

鷹央は口元に手を当てた。

「四人の被害者は、本当にタック・ユオンに、吸血鬼に殺されたのか?」

「なにを言っているんですか⁉　最初の遺体発見現場で『吸血鬼』が目撃されているんですよ。それに、遺体にはほとんど血液が残っていなかった!」

成瀬の声が大きくなる。

「それらはあくまで状況証拠でしかない。吸血鬼が本当に被害者たちの首に牙を突き立て、その血を吸いつくして殺害したかどうかは分かっていない」

言葉を切った鷹央は、じろりと桜井を見る。

「……分かっていないんだよな？」

「どういうことでしょう？」

「しらばっくれるな。司法解剖の結果に決まっているだろ。被害者たちは本当に首から血を抜かれて失血死していたのか」

「ああ、そのことですね。お伝えするのを失念していました」

桜井は芝居じみた仕草で自らの後頭部をはたく。

「なにが失念していいただ。訊かれなければ、話す気がなかったくせに。解剖でなにが分かった？　さっさと答えろ」

「そう急かさないで下さいって。えっとですね、検視官の見立て通り、被害者たちの体からは大量の血液が抜き取られており、大量失血によるショック死で間違いないだろうということでした。そして、首に開いた二つの穴以外、被害者たちには目立った外傷は確認されませんでした」

「あの二つの穴から血液を抜かれて殺害されたことは間違いないということか……」

鷹央が頷くと、鴻ノ池は勢いよく手を挙げた。

「でも、人間の血液って四リットル以上はありますよね。あんな小さな穴からそれをほとんど抜き取るなんてできるんですか？」

「司法解剖を担当した解剖医の見解では、十分に可能だということでした。傷は頸動脈まで達しているのが確認されたということです」

桜井の説明を聞いた鷹央は、鴻ノ池の胸元を人差し指で触れた。

「この奥にある心臓の左心室からは毎分五リットルの血液が、大動脈に向けて拍出される。そしてその大動脈から最初に分岐しているのが右総頸動脈へと繫がる腕頭動脈で、次が左総頸動脈だ」

鷹央の指が、鴻ノ池の胸元から首筋へと移動した。

「脳という最重要臓器への血流を確保するために、そこには常に大量の血液が流れ込んでいる。そこを穿刺すれば一気に血液を抜き去ることが可能だ」

「やっぱり被害者たちは『吸血鬼』に血を吸われて殺されたってことですか……」

首に指を突きつけられたまま、鴻ノ池は震える声で言う。鷹央は指を引くと、桜井に視線を戻した。

「警察の見解は？　お前たちみたいな頭の固い組織は、『吸血鬼なんかいるわけがない。血を吸われて殺されたなんてあり得ない』みたいに考えるんじゃないか？」

鷹央に水を向けられた桜井の顔に苦笑が浮かぶ。

「たしかに最初のうちは捜査本部でも、そういう意見が多かったですね。けれど、司法解剖の結果が明らかになるにつれ、『人間に嚙みついて死ぬまで血を吸う吸血鬼が本当にいるのかもしれない』という空気も少しだけ生じています。もちろん、はっきりそう主張する捜査員はいませんけどね。まあ、捜査本部の見解としては、頭のおかしな男が被害者を嚙み殺しているという感じですね」

「犯人が怪物であれ人間であれ、被害者たちが首に嚙みつかれて殺されたという見解ということだな。で、捜査本部にそう判断させた『司法解剖の結果』とはなんだ？」

「唾液ですよ」桜井の声が低くなる。「被害者たちの首筋、穿たれた二つの穴の周辺から唾液が検出されたんです。DNAを調べたところ、同一人物の唾液が」

「……唾液は発見された四人の遺体、全てから検出されているのか？」

人間の首に嚙みつき、生き血を啜っている怪物のイメージが浮かび上がっていた。

気温が急に下がった気がして、思わず体が震えてしまう。脳裏には暗い部屋の中で
「いえ、最初に発見された遺体からは検出されていません。遺体発見時に強い雨が降っていたので、洗い流されてしまったものと考えられています」

「最初の遺体には唾液がついていなかった……」

鷹央は腕を組むと、ぶつぶつと口の中で言葉を転がしはじめる。

「二つの穴……、傷口の唾液……、精神症状……、消えた血液……」

「あの、鷹央先生……」

桜井が声をかける。思考を邪魔された鷹央は、「なんだよ」と桜井を睨んだ。

「本当に犯人が……『吸血鬼』の可能性などあり得るのでしょうか？　いえ、こんな質問馬鹿げているのは分かっているんですが、状況が異常というか……、怪物がいるという状況証拠が積み上がってしまって、不気味というか……」

　珍しく桜井はやけに歯切れ悪く言う。その気持ちは痛いほど理解が出来た。あまりにも異常なことが起こり過ぎ、ホラー映画の中だけの存在だったはずの『吸血鬼』という怪物が現実の世界へと這い出てきているとしか思えない状況になっている。現実とフィクションの境目が融け合い、曖昧になっている気がする。

「それは、人の生き血を啜り、不老不死でコウモリやオオカミに変身し、鏡が姿に映らず、日の光を浴びると灰になる怪物が、この世界に存在するのかという質問か？」

「ま、まあ、そうです……」

「吸血鬼が存在するかは私には分からない。存在の否定は悪魔の証明だし、その一方で確実に存在するという証拠もない。まあ、本当にいたら面白いとは思っているがな」

　面白くないよ……。僕が胸の中で突っ込んでいると、鷹央は「ただし」と続けた。

「タック・ユオンが人智を超えた怪物かと言うと、否だ。奴は単なる人間だ」

「え？」僕は目を見張る。「単なる人間⁉　でも、あんなに長い牙があって、しかも日光に少し当たっただけで、皮膚が火傷したんですよ」

「……お前、まだ分かっていなかったのか？」

湿った視線を浴びせかけられ、頬が引きつってしまう。

分かる？　いったいなにが分かるというのだろう？　僕が戸惑っていると、鷹央はこれ見よがしに首を横に振った。

「それでも診断医か。情けない。精神症状、腹痛、貧血、牙のような八重歯、そして日光で爛れる皮膚。ここまで条件が揃えば、なんの疾患か簡単に診断がつくだろ」

「疾患……」

「そうだ。小鳥、お前は事件の異様な状況と『吸血鬼』というイメージのせいで、タック・ユオンという個人に起きている現象を客観的に見られていないんだ。一流の診断医になりたいなら、先入観に囚われるな。パズルを解くように、手がかりというピースを正しい位置に当てはめて、真実の青写真を浮かび上がらせるんだ。分かるな」

鷹央はまっすぐに僕の目を見つめてくる。僕は「はい」と頷くと、目を閉じた。頭の中に、昨日、北条総合病院で見た診療記録が蘇ってくる。特に、日光で爛れた皮膚と、唇から伸びる牙の写真が。

太陽の光で肌が爛れるということは、日光に対する過敏症か。しかし、あれほど激しい炎症を起こすとなると……、ＳＬＥ、全身性エリテマトーデスか？　それなら精神症状や貧血が生じることもある。

……いや、違う。僕は激しく頭を振る。主治医の作田もＳＬＥの可能性を考え、血液検査で抗核抗体を測定していた。しかし、それは正常値だったはずだ。炎症の所見も上がっていないし、他の症状からもＳＬＥの診断基準を満たしていない。

だとしたら……。多様な症状が生じているにもかかわらず、検査結果ではわずかに貧血があるだけ。そして、たびたび救急搬送されるほどの強い腹痛が生じる。

そこまで考えたとき、脳細胞が一気に発火した。息をするのも忘れて固まる僕の頭の中に、一つの疾患名が浮かび上がる。

「どうやら分かったようだな」

鷹央は唇の片端を上げる。

「ったく、もう一年も統括診断部で学んでいるんだから、私からヒントをもらわなくても自分だけで、これくらいの診断を下せるようにしろよな」

「鷹央先生はもっと前から、このことに気づいていたんですか？」

「ああ、そうだ。北条総合病院で診療記録を見たとき、すぐに気づいたさ。『吸血鬼』、いやタック・ユオンがなんの疾患なのかな」

「疾患⁉」鴻ノ池が目を見開く。「『吸血鬼』は病気なんですか？　そのせいで、人を襲って血を吸っているんですか？」

「ああ、そうだ。タック・ユオンを『吸血鬼』たらしめているもの、それはとある疾患だ。まあ、珍しい病気なので研修医の舞が分からないのは仕方がないな。ただ、診断医を目指している奴が気づかないのは情けないことこのうえないがな」

鷹央から湿った視線を浴びた僕は、首をすくめる。たしかに鷹央の言う通りだ。あまりにも異様な事件の内容に気を取られ過ぎて、カルテに記されていた重要な情報を拾い上げることが出来ずにいた。記録されている症状と検査データだけを冷静に見れば、タック・ユオンの身に起きていたことは明らかだ。

「前から病気だって分かっていたら、なんでそのことを黙っていたんですか⁉」

声を荒らげる成瀬に、鷹央は湿った視線を移す。

「診断が分かったら、なにか状況が変わったのか？」

「それは……」

「すでに、タック・ユオンが今回の事件の最大の容疑者であることは明らかになっている。問題は病院から姿を消したタック・ユオンが、いまどこにいるのかだ。タック・ユオンの疾患をお前たち警察が知れば、その行方が分かるとでも言うのか？」

問い詰められた成瀬は、渋い表情で黙り込む。それを見て鷹央は軽く鼻を鳴らした。

「いまは悠長に、素人(しろうと)であるお前たちに病気の説明をしてる暇はない。一刻も早くタック・ユオンの居場所を探し、保護する必要があるんだ」

「保護？　逮捕じゃなくてですか？」

鴻ノ池が小首をかしげると、鷹央は表情を引き締めた。

「カルテによると、タック・ユオンの精神状態は極めて不安定になっている。病院から逃げ出したことを見ても、捜査の手が迫っていることを感じ取っていたんだろう。それに『吸血鬼』と化した自らへの強い嫌悪と、事件に対する身を焦がすような罪悪感に苛まれている様子が記されていた。このままではかなり高い確率で、タック・ユオンは自らの命にピリオドを打つ。だから、悠長に裁判所が逮捕状を発行するのを待っている暇はないんだ。どこに隠れているのか、どうやったら分かるのか……」

鷹央は腕を組んで俯く。

「たしか、カルテに不吉なこと書いてありましたもんね。なんでしたっけ、『棺桶のカギとともに、まだ穢れていない私を二度見つからぬよう埋葬しました』でしたっけ」

鴻ノ池は額に手を当てて、カルテに書かれていたタック・ユオンの言葉を暗唱する。

「良く分からない言葉だよな。普通に考えれば、なにかを埋めたってことなんだろうけど……」

僕がつぶやくと、鴻ノ池は「ですよねえ」と相槌を打った。

「もしかしたら、重要な手がかりなのかもしれないですけど、『埋葬した』ってだけじゃ、どこに埋めたのか分かりませんもんね」

「タック・ユオンは、昼間は北条総合病院の別館にいたはずだから、埋めたとしたらあの庭園の可能性が高いと思う。けど、あの庭はかなり広いから、どこを探せばいいか分からないよな。せめて、目印でもあれば……」

そこまで言ったところで、僕の隣で黙って考え込んでいた鷹央の体が激しく震えた。

「ど、どうしました？」

「お前、いま、なんて言った……？」

顔を上げた鷹央は、ネコを彷彿する双眸で僕を見つめる。

「いや、せめて目印でもあればって……」

「目印！」

鷹央は甲高い声を上げると、ソファーから立ち上がった。

「そうだ、目印だ！　どこに手がかりが埋まっているのか、最初から示されていたんだ！　ああ、私はなんて馬鹿だったんだ。あんな明らかな目印を見落とすなんて！」

早口でまくし立てた鷹央は、「ほれ、行くぞ」と僕の腕を摑む。

「え、行くってどこにですか？」

「北条総合病院に決まっているだろ。あそこの庭に埋まっている手がかりを掘り出しに行くんだ」

鷹央は楽しげにあごをしゃくった。

「ここ掘れワンワンってやつだ」

5

「あの、どういうことですか？」

　作田が戸惑い声を上げる。その前には、若草色の手術着に白衣をまとった鷹央が、ずんずんと大股で庭園の遊歩道を進んでいた。

「タック・ユオンの居場所を見つけるための手がかりを掘り出すんだ」

「タック・ユオン？　いったい誰ですか？」

「お前らが『神津さん』と呼んでいた患者のことだよ」

　振り向くこともせず答える鷹央の不親切極まりない説明に、作田の顔に浮かぶ戸惑いがさらに濃くなる。

　手がかりを掘りに行くと宣言した鷹央を追って、僕と鴻ノ池はわけも分からないいま北条総合病院へと向かった。鷹央に「お前らも来い。何かの役に立つかもしれない」と指示された桜井と成瀬も付いてきている。

　午後五時過ぎに北条総合病院についた鷹央は、迷うことなく一階の外来待合フロアを横切って、庭園へと向かった。そのとき間の悪いことに、作田が午後の診療を終えたのか、消化器内科の外来診察室から出てきた。

「ああ、天久先生、先日はどうも。今日は何のご用でしょう。なぜ白衣を？」

気づいて近寄ってきた作田に、鷹央は一瞥もくれることなく「お前に用はない」と言うと、そのままフロアの奥にある扉を開けて庭園へと入っていったのだった。

庭園の遊歩道を三十メートルほど進んだ鷹央は、色とりどりの鯉が泳いでいる池のほとりで足を止め、周囲を見回しはじめる。

「あのですね天久先生、先日は特別に許可をしましたけど、この庭園はまだ立入禁止エリアなんです。厳密には不法侵入になります。なにも説明して頂けないなら、警備員、いや場合によっては警察を呼ぶことになりますよ」

さすがに鷹央の傍若無人な態度に我慢できなくなったのか、作田は硬い声で言う。

「わざわざ呼ぶ必要なんてない。警察ならそこに二人いる。しかも刑事だ」

やはり作田を見ることもせず、鷹央は親指を立てて後ろにいる桜井たちを指さした。

「刑事⁉」

動揺を浮かべる作田に向かって、桜井は「そうなんですよ」と微笑むと、コートの内ポケットから警察手帳を取り出して掲げる。成瀬も無言でそれに倣った。

「警視庁捜査一課の桜井と申します。こちらは田無署刑事課の成瀬君です。お騒がせして申し訳ございません」

「いえ、そんな……。でも、警視庁捜査一課の刑事さんがどうして……？」

「数日前までこちらに入院していた患者さんが、凶悪事件に関係している可能性がありましてね。それで、ちょっと調べさせて頂ければと思っているんです」

「入院していた患者って、もしかして神津さんですか……？」

「そう呼ばれていた人物です。このままでは、令状をとってこの病院を徹底的に探すことになるでしょう。この庭園もすべて掘り返すかもしれませんし、彼が入院していた別館も何十人もの捜査員が隅々まで調べることになるかもしれません。場合によってはマスコミが嗅ぎつけて殺到し、病院にご迷惑をかけることになるかもしれないけれど、市民の安全のためですからご協力いただくことになります」

「そんな……」

「ただ、天久先生はほんのちょっとこの庭を調べれば、『神津さん』の行方が分かるとおっしゃっています。それが本当なら、わざわざこの病院に捜査員たちが押しかけ、患者さんたちにご不安を与える必要もなくなる。なので、見逃して頂けたら幸いです。何卒よろしくお願いいたします」

桜井は深々と頭を下げる。態度こそ慇懃だが、話している内容は「黙って調べさせないと大変なことになるぞ」という脅迫に近い。

……本当に腹黒いな、この刑事。

呆れる僕と、蒼い顔をして助けを求めるかのように視線を彷徨わせていた作田の目が合う。いまにも泣き出しそうなその顔に、同情と罪悪感が同程度にブレンドされた感情が湧き上がってくる。

「もし何かあっても、責任はこちらで全て取ります。作田先生にはご迷惑が掛からないようにしますので、見なかったことにして頂けませんでしょうか？」

桜井のダメ押しに、作田は十数秒、逡巡している様子で黙り込んだあと、「早く帰って下さいよ」と言い残して去っていった。

なんとか大きなトラブルにならずに済んだ。僕が胸を撫でおろしていると、鷹央は「ようやく邪魔者は消えたか」と口角を上げる。

「どちらかというと、僕たちの方が『邪魔者』の気がするんですけど……」

しかしまさか、二日連続で同じ病院に不法侵入する羽目になるとは……。鷹央の『捜査』に付き合っているうちに、違法行為に慣れていっている自分が恐ろしい。

「細かいことはいいんだよ。それより、『目印』を見つけるぞ」

鷹央は腕を突き上げると、夕日が水面に反射している池のほとりを進んでいく。

「で、『目印』って何なんですか？　この前、この庭園を歩いたとき、特に変わったものなんて気づきませんでしたけど。そもそも、タック・ユオンは穢れた自分と棺桶の鍵を、『二度と見つからぬように』埋葬したんですよね。なら、目印なんて残しておくの、変じゃないですか？」

　鷹央のすぐ後ろを歩きながら鴻ノ池が訊ねる。

「タック・ユオンが意図的に目印を残したわけじゃない。自然にそれが出来た、いや正確には『自然』がそれを作り出したんだ」

「『自然』が作り出した？」

　禅問答のような言葉に、鴻ノ池の眉間にしわが寄る。

「そう、そしてこれがその『自然』だ」

　鷹央は足を止めるとあごをしゃくり、池のほとりに数メートルにわたって並んでいる紫陽花をさした。

「紫陽花？　それが目印なんですか？」僕は首を捻る。「でも、かなりの範囲、紫陽花は生えていますよ。そこを全部掘り返すとなったら、かなりの人手が必要ですよ」

「紫陽花の全部が『目印』ってわけじゃない。この中に目印が混ざっているんだ」

　鷹央は紫陽花に沿って走っている遊歩道を進みはじめた。

「紫陽花の花には青と赤があるが、それは種類の違いではない。その紫陽花が生えている環境、正確に言えば土質に左右されるんだ」

　鷹央は赤い紫陽花の花を指先で触れながら歩いていく。

「理科の実験などで使うリトマス紙とは逆だな。土が酸性だったら青い花が咲く。その一方で土がアルカリ性だった場合は、その花は赤色になる」

鷹央は足を止める。その指は鮮やかな青色をした紫陽花の花に触れていた。

「それじゃあ、目印って……」僕は目を大きくする。

「ああ、そうだ。この青い花こそ『目印』だ」

鷹央は白衣が汚れることも気にせず、その場にひざまずく。

「この庭園の土質は基本的にはアルカリ性なんだろう。だからこそ、紫陽花の花はほとんどが赤い花をつけている。しかし、ここの紫陽花の花だけは青く染まっている。つまり、この紫陽花の根の部分だけ土が酸性になっているということだ」

鷹央は躊躇することなく、紫陽花の根元の土に両手を差し込んだ。

「ああ、素手で掘ったりしたら怪我しますよ」

慌てて声をかけると、鷹央の動きが止まる。その顔に笑みが広がっていった。

「見つけたぞ！」

鷹央は土の中から何かを摑み上げると、それを高々と掲げた。それは金属製のチェーン付きキーホルダーだった。安物なのかかなり錆びついているのが見て取れる。おそらくその酸化した金属のせいで、周りの土が酸化したのだろう。

そしてキーホルダーには二つの塊がついていた。しかし、大量の土が付着しているので、それがなんなのか分からない。

鷹央は池のほとりまで移動すると、迷うことなく両手を水面に差し入れて土を洗い流していく。エサをもらえると勘違いしたのか、数匹の鯉が集まってきた。

鷹央は勢いよく手をあげる。水滴が夕日の中で煌めいた。

「十字架……」

僕は呆然とつぶやく。それは透明な十字架のアクセサリーだった。赤く淡い陽光を孕んだ、手のひら大の十字架。

「この透明度、そして光を乱反射するところから見て、水晶で出来ているんだろうな。なるほど、これが『穢れていない自分』か。ベトナムでは仏教に次いで、カトリックのキリスト教徒が多い。きっとタック・ユオンもそうだったんだろう。水晶の十字架、つまりは『穢れない石英で出来たクリスチャンの証』だ。しかし自らが穢れて吸血鬼となっては、これは持っていられないよな。吸血鬼にとって十字架は恐怖の対象なんだからな」

鷹央は水晶の十字架とともにキーホルダーについている物体を顔の前に持ってくる。

「鍵だな。これが『棺桶の鍵』か……」

人差し指ほどの長さのある武骨な鍵を、鷹央は振り子のように左右に振る。

「吸血鬼にとって棺桶は寝床にあたる。つまりこの鍵こそ、タック・ユオンの隠れ家の場所を示す手がかりのはずだ。しかし、かなり単純な造りの鍵だな。住宅用に一般的に使われているディスクシリンダー錠やディンプルシリンダー錠ではなく、ウォード錠と呼ばれるカバンや南京錠に……」

そこまで言ったところで、鷹央は大きく息を呑んで桜井たちを見た。

「お前たち、タック・ユオンが勤めていた工場に行ったって言っていたな」

「ええ、行きましたけど、さっき説明したようにもう廃業していて中には入れませんでした。扉に大きな錠前が……」

桜井ははっとした表情で固まる。その口からうめくような声が漏れた。

「じゃあ……、もしかしてあそこに……」

鷹央はうなずくと、低い声で言った。

「そうだ、その廃工場こそが『棺桶』、吸血鬼の棲み処だ」

6

フロントグラスを水滴が激しく叩きはじめる。

「降ってきましたね」後部座席の鴻ノ池が身を乗り出してきた。

「北条総合病院を出たあたりから崩れはじめていたからな。夏は夕立が多いし」

僕は右手をハンドルから離して、ワイパーを作動させはじめる。

「夕立っていうか、夜ですけどね。もう午後八時過ぎか」

腕時計に視線を落とす鴻ノ池のつぶやきを聞きながら、僕はヘッドライトに照らされた道を眺める。夜の闇と、急に降り出した強い雨のせいで視界が悪かった。

北条総合病院をあとにした僕たちは、鷹央が「吸血鬼の棲み処だ」と指摘した廃工場へと向かっていた。奥多摩にあるというその廃工場までは思った以上に離れていて、また帰宅ラッシュの渋滞にも巻き込まれたため、かなり時間がかかってしまった。

「寂しい場所ですね。東京とは思えない」

鴻ノ池の言う通り、滝のように雨が流れ落ちているフロントグラスの奥には、畑や雑草に覆われた荒れ地が広がり、ところどころまばらに民家が立っている。

「東京は東西に細長くて、経済活動は東側にある二十三区に集中しているからな。西に行くにつれ寂れてくるんだよ。特に最も西にある奥多摩町は山が多く、この辺りの人口はかなり少ない」

助手席の鷹央が抑揚のない口調で言う。北条総合病院を出てすぐのころはテンションが高かった鷹央だが、目的地に近づくにつれてその表情は引き締まってきていた。

当然だろう。何人もの生き血を啜り、命を奪ったと思われる『吸血鬼』と、いまから対峙するかもしれないのだから。たとえ相手が怪物ではなく、『あの疾患』が原因で血を求めていたとしても、彼が行った恐ろしい行為が変わるわけではない。

「こんなところに工場があるんですね」

「この辺りなら、土地が安いだろうからな。それに騒音などが出ても、人が少ないからあまり問題にならない」

鴻ノ池の言葉に、鷹央が答える。

「けど、街からこんなに離れていたら、従業員とか集まらないんじゃないですか?」

「だろうな。だからこそ、技能実習生を受け入れていたんだろう。研修という名目で、安い労働力としてこき使っていたのさ。……人間を何だと思っているんだ」

鷹央は忌々しげに舌を鳴らした。重い沈黙が車内におりた。

『間もなく目的地周辺です』

カーナビから響く人工音声が、沈黙を破る。目を凝らすと、雨と闇のカーテンの向こうに、ぼんやりと大きな建物のシルエットが浮かび上がっていた。次の瞬間、稲妻が走る。まばゆい光が建物の全容を映し出した。三十台ほどは停められる広い駐車場の奥に、小学校の体育館ほどの大きさの工場がそびえ立っている。

僕は愛車のCX‐8を工場の出入り口のすぐそばに横付けすると、エンジンを切った。ヘッドライトを消しても、駐車場にある街灯のおかげでうす暗いながら視界を保つことが出来る。

「つきました。ちょっと待って下さいね。傘と懐中電灯を用意しますから」

「そんなもの必要ない」

鷹央は助手席の扉を開けると、滝のような雨の降りしきる外に出ていってしまう。

「あっ、ちょっと」

僕は慌てて助手席のグローブボックスを開けると、懐中電灯だけを取り出して車を降りる。シャワーのような雨を全身に浴びながら、僕は工場の前に立っている鷹央に追いついた。

「一人で先走らないで下さいよ。中に『吸血鬼』がいるかもしれないんですよ」

文句を言いながら、僕は出入り口の扉を見る。桜井たちが言った通り、そこには武骨な南京錠がかかっていた。扉のそばには古ぼけた看板がかかっている。目を凝らして風雨に晒されて消えかけている文字を読むと、そこには『㈱宮城（みやぎ）木材工場』と記されていた。

「相手は殺人者かもしれないが、同時に病人でもある。そして、その病人が疾患が原因で危険な状態に置かれているんだ。医師として急ぐ義務がある。分かるだろ」

鷹央はまっすぐに僕の目を見つめてくる。

「はい、分かります」

鷹央は「よし」と、纏っている白衣のポケットから北条総合病院の庭園で掘りだした鍵を取り出した。鴻ノ池が「うわあ、すごい雨」と悲鳴を上げながら追いついてくる。少し離れた位置にセダンが停車し、懐中電灯を持った桜井と成瀬も降りてきた。

「いやあ、急に降り出しましたね。傘を用意しておくんだった。それで、どうですか？　開きそうですか？」

トレードマークの鳥の巣のような髪が濡れて萎んでいる桜井が、顔を拭いながら訊ねる。鷹央は鍵を南京錠に差し込み、手首を返した。カチリという小気味いい音とともに南京錠が外れて地面に落ちた。

「行くぞ！」

鷹央は扉を無造作に蹴る。大きな音を立てて開いた扉の中に、僕たちは次々に入っていった。

「うわあ、びしょ濡れ。下着まで体に貼りついて気持ち悪い」

鴻ノ池の声が工場内にやけに大きくこだまする。見ると、研修医のユニフォームである青いスクラブが水を吸って、鴻ノ池の引き締まった体のシルエットが浮き上がっていた。

「なんですか、小鳥先生？　なんでいやらしい目付きで私の体を舐めるように見ているんですか。セクハラですよ」

「人聞きの悪いこと言うな」僕は慌てて鴻ノ池から視線を外す。

「ところで、小鳥先生のポロシャツもびしょ濡れですね。気持ち悪いから脱いじゃったらどうですか？　久しぶりに小鳥先生の、大円筋と前鋸筋を拝ませてもらいたいし。ね、脱いじゃいましょ」

「ガチのセクハラをしてくるんじゃない」

じりっと迫ってくる、筋肉フェチの変態から身を引くと、僕は辺りを見回す。この出入り口のそばまでは街灯の光がなんとか届くが、工場内は濃い漆黒に満たされていた。

手にしている懐中電灯をつける。この空間に充満する濃い闇を中和するには弱々しい光が、うっすらと工場の全容を浮かび上がらせる。

建物内は吹き抜けになっていて、天井まではゆうに十メートルはあった。バスケットコート二つ分はあるであろう広い空間には、巨大な機械で出来た木材の生産ラインがまるで迷路のように並んでいた。

「これはなんと言うか……、不気味ですね……。こんなに広いのに、なんだか圧迫感があって息苦しい。たしかに『棺桶』と比喩するのも分かる」

桜井が自分の懐中電灯を点けながらつぶやく。

「機械類が放置されたままだな。奥の巨大な棚には、加工前の木材が大量に積まれている。経営者が夜逃げしたというのは本当らしいな」

鷹央はきょろきょろと辺りを見回す。

「よし、手分けしてタック・ユオンを探すぞ」

「手分け？　え、分かれるんですか？」僕は驚いて聞き返す。

「当たり前だろ。これだけ広いうえに、機械やら棚などが大量にあって隠れるスペースが多い。固まって動いたら非効率的だ」

「でも、ここには殺人犯が潜んでいるかもしれないんですよ。さすがにバラバラに動くのは危険です。特に鷹央先生は一人にならないで下さい。他のメンツは格闘技の経験がありますけど、鷹央先生はそれがないどころか運動神経が壊滅して……」

「私の運動神経がなんだって？」鷹央がじろりと睨んでくる。

「いえ、別に……。あの、レディを危険な場所に一人にするのはマナー違反かなと思いまして……」

慌てて取り繕うと、レディといわれてまんざらでもなかったのか、鷹央は「まあ、そうかもな」とあごを撫でた。

「じゃあ小鳥、お前が私をエスコートしろ。他は一人一人バラバラに……」

「私も一緒に連れて行って下さいよ！」

鴻ノ池の悲鳴じみた声が、鷹央のセリフを遮る。

「いや、お前なら一人でも大丈夫なんじゃないか？」

僕の指摘に、鴻ノ池は「ひどい！」と声を荒らげる。

「鷹央先生と私で、扱いが違いすぎませんか？　私だってか弱いレディなんですよ」

「いや、何度も言うが、お前はか弱くない」

「か弱くなかったとしても、レディを殺人犯が潜んでいるかもしれない廃工場で一人にしていいわけないでしょ！」

僕は「それはそうかもしれないけど」と言葉を濁す。

「けど、固まって探すと効率がなぁ……」

渋る鷹央に、鴻ノ池は鋭い視線を向ける。

「私はいまここに『ついてこい』という鷹央先生の指示に従ってきています。つまりこれはある意味、統括診断部の業務の一環ということになります。そうですよね」

「うーん……、まあ、そうかな」

いや、違うだろ。なんで『吸血鬼』を探すのが医師の仕事になっているんだ。

突っ込もうとするが、その前に鴻ノ池が言葉を続ける。

「ということは、ここで私が怪我をしたら、それは『業務上の負傷』、つまりは労災になるということです」

鷹央の喉から「うっ」という音が漏れる。

「労災を申請したら、当然、それは事務長である真鶴さんにも知られます。その詳細な状況と一緒に。先生が研修医を、連続殺人事件の捜査に連れ回していることが真鶴さんにバレるということです」

うす暗いにもかかわらず、鷹央の顔から血の気が引いていくのがはっきりと見て取れた。よほど、姉の真鶴に捜査のことを知られるのが恐ろしいのだろう。

まあ、いつも危険なことはしないようにきつく言われているしな……。

「そ、そうだな。統括診断部でバラバラに動くのはよくないな。よし、統括診断部三人と、刑事二人組で分かれるようにしよう。うん、それがいい。いいよな？」

鷹央は上ずった声で桜井に水を向ける。

「本当なら、一般人である皆さんに捜索を手伝って頂くのはよろしくないのですが、外で待っていろと言っても、承知してくれないですよね」

「もちろんだ。ここに『吸血鬼』がいることを突き止めたのは私だ。美味しいところだけ取られてたまるか」

「ですよね。分かりました、手分けして探索しましょう。ただし、ここに潜んでいるのは、何人もの仲間を殺している凶悪犯の可能性があります。どうか油断しないようにして下さい。そしてタック・ユオンを見つけたら、皆さんでどうにかしようとはせず、必ず私たちを呼んで下さい。約束ですよ」

「ああ、分かったよ」

鷹央はひらひらと手を振ると、軽い足取りでまっすぐ工場の奥へと進んでいく。

「本当に分かったのかなぁ」

苦笑を浮かべた桜井は、成瀬と右手へ伸びている通路へと向かった。すぐに桜井と成瀬の姿が、高さが三メートルはあるであろう巨大な機械の陰へと消えていく。

刑事たちを見送った僕は、「一人で先に行かないで下さい」と鷹央のあとを追った。


「おい、押すなよ」

工場の中央あたりまで進んだところで僕は振り返って、背中に引っ付くように歩いている鴻ノ池に声をかける。

「しかたないじゃないですか、怖いんだから！」

逆ギレされた……。

「怖いって、お前、さっきまで元気に僕にセクハラしていたじゃないか」

「入ってすぐのところは、まだ外からいくらか光が入ってきていたから平気だったんです。けどここ、真っ暗で不気味じゃないですか。怖くて当たり前ですよ。可愛い後輩を守るくらいの甲斐性ないんですか？」

「可愛い後輩……？」

「なんで疑問形なんですか!?」

「なんでって……。そもそも、お前なら相手が殺人犯でも十分に制圧できるだろ」

「殺人犯が怖いんじゃないです。お化けが怖いんです！　人間なら合気道の技が効きますけど、お化けには効かないでしょ！」

「えっと……、本当にお化けがいると思ってるのか？」

「思ってませんよ！　思ってないけど、いかにもここ『出そう』じゃないですか。理性でお化けなんかいるわけないと分かっていても、この雰囲気はお化けがいるって本能が告げるんです」

　僕の前を歩いている鷹央が、「いや、いないとは限らないぞ」と振り返る。

「世界各国で幽霊などによる超常現象は確認されている。もちろん、その大部分はいたずらや錯覚などによるものなのだろうが、中には本当に死者の……」

「やめて下さい。聞きたくありません！」鴻ノ池は両手で耳を塞ぎ、顔を伏せる。

「大丈夫だ、舞。この廃工場にいる『吸血鬼』は幽霊と違って実体がある。お前の合気道の技はちゃんと通用するはずだ」

「でも吸血鬼って、煙になれるんですよね。関節を極めても、逃げるんじゃ……」

　恐怖で混乱しているのか、鴻ノ池はわけの分からないことを口走りはじめる。

「その心配はない。言っただろ。タック・ユオンは伝説の怪物ではない。奴を『吸血鬼』たらしめているのは、神秘の力ではなく疾患だ」

「ということは、……投げられるんですか？」おずおずと鴻ノ池が顔を上げる。

こいつの恐怖の基準は、『投げられるか、否か』なのか？

「ああ、お前なら投げられる。私を信じろ」

鷹央が保証をすると、鴻ノ池の顔に浮かんでいた怯えの色が希釈されていった。恐怖で頭の回線が焼け切れて、正常な判断が出来なくなっているのだろう。

僕は呆れつつ、懐中電灯で周囲にそびえ立っている機械の陰を照らす。ネズミらしき小さな影が光の中を横切った。まあ、鴻ノ池が怯えるのも分からなくもない。この廃墟には、人の侵入を拒絶する瘴気のようなものが充満している。しかも、この闇に覆われた迷路のような空間に、人の生き血を啜る殺人鬼が潜んでいるかもしれないのだ。恐怖をおぼえない方がどうかしている。

「けど、これだけ死角が多いと、探すのにも一苦労ですね。それに、もしタック・ユオンが隠れていたとしても、すでに声で僕たちの位置を把握しているだろうし」

鷹央は「たしかにそうだな」とあごを引く。

「小鳥、お前が大声を出したせいだ。ちゃんと反省しろ」

その前に、扉を蹴破って大きな音を出した人がいた気がするんだけど……。

反論しようと僕が口を開きかけたとき、離れた位置から重い金属同士がぶつかるような音が響いた。僕と鴻ノ池の体が大きく震える。

「いまのって……、桜井さんたちですか？」

かすれ声で言う鴻ノ池に、僕は「いいや、ちがう」と答える。

「桜井さんたちが向かったのとは、完全に逆方向だ」

「それじゃあ、あっちに……」

息を乱す僕たちを尻目に、鷹央は「行くぞ」と迷うことなく音がした方向へと進みはじめた。僕と鴻ノ池は顔を見合わせたあと、おそるおそるついていく。

「この辺りから、音が聞こえた気が……」

地面から一メートルほどの高さにあるベルトコンベアをくぐったところで、鷹央は「あっ」と声を上げる。そこにスパナが落ちていた。

「このスパナが、地面を走っているパイプに当たったんだろうな。つまり……」

鷹央は鋭い目つきを周囲に這わせる。

「この辺りに『誰か』がいたんだ」

「あ、あの、小鳥先生」

(何かあったらすぐに僕を生贄（いけにえ）にして逃げられるように)僕の背中に引っ付いたままの鴻ノ池が、弱々しく言う。背中に添えられている手から、震えが伝わってくる。

「なにか、変な臭いがしませんか?」

「変な臭い?」

僕は嗅覚に意識を集中させる。埃（ほこり）っぽい空気に混じって、錆びた鉄のような、それでいて有機物の腐敗したような生臭さが鼻先をかすめた。

元外科医である僕はこの臭いをよく嗅いでいた。手術室で……。

「血の臭い……」

かすれ声が口から漏れたとき、視界の端でなにかが動いた気がした。僕は反射的にそちらに懐中電灯を向ける。光の中を一瞬、影が横切った。さっき見たネズミよりも遥かに大きな影が。

「何かいます！」

僕は重心をわずかに落とし、左手で持った懐中電灯で正面を照らしたまま、右拳を胸の前で構える。

激しく床を叩く足音が聞こえてくる。しかし、障害物が多いこの空間では音が反響して、それがどこから聞こえてくるのかはっきりしない。

「鷹央先生、僕の後ろにいて下さい」

恐怖で心臓が早鐘のように打つのをおぼえながら、僕は声を張り上げる。鷹央は言われた通り、僕の背後へと移動した。

鴻ノ池、僕を盾にするのはいいけれど、そばにいる鷹央先生はちゃんと守ってくれよ。そう思ったとき、右側から金属音が響いた。

そっちか！　左手に持った懐中電灯でそちらを照らしながら、左足で蹴りをくり出そうとした僕は目を見開く。パイプのそばに小さなドライバーが落ちていた。

囮だ。工具を投げて自分がいない場所に音を立てた。だとすると……。

パニックになりかける頭で必死に思考を走らせる僕の左側から足音が近づいてくる。

しまった！　慌てて僕は振り向く。闇を切り取ったかのように黒い人影が、こちらに向かって走ってきていた。その手元でなにかがかすかに煌めいた。

刃物を持っている⁉　僕は後ろ回し蹴りで影の武器を払い落とそうと体を勢いよく回転させる。その瞬間、影の左手が目映く輝き、そして視界が真っ白に染まった。

敵が左手に持っていた懐中電灯を点け、僕の顔に光を浴びせかけたのだろう。

なにをされたかに気づいたときには、暗順応していた目は完全に眩み、視力が失われていた。目標を見失った僕の蹴りが空を切る。シャーという、獣の威嚇のような雄叫びが近づいてくる。

避けられない。刺される。そう絶望した瞬間、白く染まった視界の中、わずかに黒いものがよぎった。

「いやああー！」

耳をつんざく気合の声がこだまし、それに続いて何かが激しく倒れる音が続いた。

光で焼け付いていた網膜が冷めていく。まだぼやけている視界の中、僕のすぐ前でなにかがうずくまっていた。

「……怖くない」

「鴻ノ池⁉」

視力が正常に戻った僕は、目の前にいるのが片膝立ちの鴻ノ池だと気づく。

「投げられるなら、怖くない」自らに言い聞かせるように鴻ノ池は言う。

「投げられる？」

状況が摑めないまま、僕は大きな音がした方向を見る。数メートル先に痩せた男が横たわっていた。そのそばには木製のデスクが倒れていて、様々な工具が大ぶりのナイフとともに床に散乱している。それを見て、ようやく何が起きたのかを把握する。ナイフを手に突っ込んできた男を、鴻ノ池が合気道で投げたのだろう。けれど……。

「けれど、あんなに遠くまで投げられるもんなのか⁉」

「呼吸投げです。相手の勢いを殺すことなく、そのままベクトルを変えて利用する合気道の必殺技ですよ。思い切り走って突っ込んできたから、軽く投げるだけで自分からバランスを崩してあのデスクまで走って衝突したんです」

鴻ノ池はゆっくりと立ち上がった。

「マジですごいな、お前。本当に助かった。ありがとう」

「お礼に今度、いいディナーを奢（おご）って下さい。一度行ってみたいと思っているんだけど、高くて手が出なかったフレンチのお店があるんです。いいですよね？」

「わ、分かった……」

新車を買ったばかりで余裕はないが、命を救われたのだから断れるわけもなかった。

「で、あれが『吸血鬼』ですか」

鴻ノ池は警戒しつつ言う。その態度からさっきまでの怯えは完全に消え去っていた。どうやら、投げられるということが分かったことで恐怖が消えたようだ。

単純すぎないか、こいつ。呆れつつ、僕は倒れた男に懐中電灯を向ける。まぶしいのか、「ううっ」とうめきながら男が身を起こした。その姿を見て、僕は大きく息を呑む。光の中に浮かび上がるその姿は、あまりにも異様だった。

皮膚は死者のように蒼白く、頰はこけて頰骨に皮膚が貼りついていた。眼窩が落ち窪んでいるせいか、血走り焦点を失っている眼球が飛び出しているかのように見える。光から身を守るように顔の前にかざした両手の甲は、赤くケロイド状に爛れていた。そして、力なく開いて涎が溢れている口からは歯が覗いていた。牙のように鋭く長い犬歯が。

最初の遺体を発見したホームレスが、『吸血鬼がいた』と証言したのも分かる。この男の姿はまさに、ホラー映画などに登場するヴァンパイアそのものだ。

男は乾燥してひび割れた唇をゆがめ、牙のような犬歯を剝き出しにすると、「シャー！」と威嚇の声を上げる。

果たして、この男と意思疎通をすることなど可能なのだろうか。僕が呆然と立ちつくしていると、革靴の足音が近づいてきた。

「見つけましたか？」「吸血鬼がいたんですか⁉」

息を切らせながら駆け付けた桜井と成瀬は、男の様相を見て硬直する。敵が増えたことでさらに興奮したのか、男は「ギャー！」とひときわ大きな叫びをあげた。

「そう興奮するな。危害は加えない。私はお前を助けに来たんだ」

鷹央が男に向けて一歩踏み出す。僕が「危ないですよ」と前に出ようとするが、鷹央は横に手を突き出してそれを遮った。

「お前たちみたいなごつい男が近づいたら、怯えちまうだろ」

「なら、可愛い私が」鴻ノ池は手をあげる。

「……舞、お前あいつを吹っ飛ばしたばかりだろ。お前が一番怖がられているんだから、ちょっと後ろに行っていてくれ」

鴻ノ池は不満げに頰を膨らませつつも、言われた通りに成瀬の後ろに移動した。

鷹央はさらに三歩ほど男に近づいた。男は荒い息をつくと、赤いクモの巣が張ったかのように結膜に血管が浮き出ている双眸で鷹央を睨みつける。その様子はいまにも獲物に飛び掛かろうとしている猛獣のようだった。

「タック・ユオン」

鷹央は静かに名を呼ぶ。『吸血鬼』の、目の前の男の名を。男の体が大きく震えた。

「お前はタック・ユオンなんだろ。技能実習生としてベトナムからこの国にやってきたが、工場での奴隷のような勤務に耐えきれず、ジャパニーキに入った。そうだな？」

男は、タック・ユオンは鷹央を睨み続ける。しかし、その瞳にはわずかに理性の光が宿りはじめているように見えた。タック・ユオンの口がゆっくりと開く。牙のような犬歯がさらに露わになった。

「なんで私の名前、知っている？」

「必死に調べたからに決まっているだろ。お前が入院していた病院にいき、主治医に話を聞いた。お前の名前を漢字で書くと『石英』になるから、クリスタルというニックネームで呼ばれていたことも知っている。ああ、そうだ。お前、松本加奈と親しかったんだってな。お前が消えたことを心配していたぞ」

加奈の名前が出た瞬間、険しかったタック・ユオンの顔がわずかに緩んだ。

「あの病院でお前は、クリスタルではなく、石英を示す英語であるクォーツを名乗っていたんだな。それはお前が『無色透明の石英』ではなく、穢れてしまったからだ。私はそう推理したんだが、それは正しいか？」

「そう、そう……。私は汚くなった。もうきれいじゃなくなった！」

タック・ユオンは両手で髪を激しく掻き乱す。

「それは、ジャパニーキに入って犯罪行為に手を染めたからか？　それとも……」

　鷹央はタック・ユオンにさらに一歩近づいた。

「『吸血鬼』になったからか？」

　タック・ユオンの動きが止まった。鷹央を見る目から涙が溢れだしていく。

「私は悪いことをした。クスリを売ったり、港に隠れてものを取りに行ったりした。でも、しかたなかった。ベトナムにいる私の家族、お金がない。僕がお金を送らないと、弟と妹たち学校いけない。食べるものもあるか分からない。だから、日本で仕事しないといけなかった。悪いこと分かっていたけど、しょうがなかった。だから、毎日神様にお祈りしていた。ごめんなさい。許して下さいって。でも……」

　タック・ユオンは自らの両肩を抱くようにして震え出す。

「神様、許してくれなかった。悪いことした僕に罰を与えた。私は変わっていった。人間じゃない化け物に少しずつ……」

「その化け物というのは『吸血鬼』のことか？」

「そう……、そうだよ……」

　タック・ユオンは喘ぐように言う。

「牙が生えてきた。太陽の光に当たるとこんなになるようになったんだ」

　タック・ユオンは、ケロイド状に爛れ、水疱が目立つ両手を掲げる。

「それに、頭の中で声が聞こえるようになってきたんだ。『血を飲め』って。そうしないと、すごくお腹が痛くなる。何度も吐いたり、体の震えが止まらなくなったり。だから仕方なく……」

「仲間を殺して、その血を飲んだのか？」

鷹央が問うと、タック・ユオンは甲高い奇声を発し、その場にしゃがみ込んだ。

「分からない！ 自分がなにしたか分からない！ 血が……、血がいっぱいで……。『お前が殺した』って神様の声が聞こえてきて……。友達の死体があって……。それをどこかに捨ててこないといけなくて……」

支離滅裂な内容をつぶやきながら、タック・ユオンは這うようにして、床に落ちているナイフへと近づいていく。

あぶない！ そう思って前に飛び出しかけた僕は、ナイフを拾ったタック・ユオンのとった行動に硬直する。刃渡り二十センチはあるであろう武骨なナイフの刃を、タック・ユオンは自らの首筋へと当てた。

そのままナイフを滑らせれば、鋭いその刃は容易に皮膚を、脂肪を、筋肉を切り裂き、その奥にある頸動脈を切断するだろう。噴水のように血液が噴き出し、瞬く間にタック・ユオンは失血死する。

仲間の血を吸って殺した『吸血鬼』が、最期に自らの血液を全て吐き出して死ぬというのだろうか。硬直したまま、僕はただ成り行きを見守ることしかできなかった。

「神様が言うんだ。『仲間を殺したお前は死ぬべきだ』、『奪った血を全て吐き出せ』って。だから、逃げ出した。耐えられなかったから。けれど、やっぱり『吸血鬼』は生きていいちゃいけないんだ。私みたいな化け物は死なないといけなかったんだ」

わずかにナイフが動く。その刃が皮膚を破り、赤い血が少量溢れだした。

「お前は人間だ」

鷹央の声が廃工場に響く。その声は大きくはないものの、やけによく通った。

「にん……げん……」

ナイフを首筋に当てたまま、タック・ユオンがたどたどしくつぶやく。

「ああ、そうだ。お前は吸血鬼なんかじゃない。病に侵された一人の人間なんだ」

「やまい……、病気……？」

鷹央は「そうだ」と大きく頷くと、静かに告げた。タック・ユオンを『吸血鬼』へと変えた疾患の名前を。

「お前はポルフィリン症だ」

「ぽるふぃりん……」

「ポルフィリン症……、それって、たしか代謝性疾患でしたよね？」

成瀬の後ろから出てきた鴻ノ池が声を上げた。

「ああ。赤血球に含まれるヘモグロビンの一部であるヘムという物質。その代謝にかかわる八つの酵素のいずれかの活性が低下していることにより、ポルフィリン体やその関連物質が皮膚、肝臓、脳、血液など様々な部分に蓄積することで発症する遺伝性の難病だ。光線過敏などの皮膚症状や貧血が主な皮膚型ポルフィリン症と、それに強い腹痛や神経・精神症状などの急性症状が加わる、急性型ポルフィリン症に分けられ、さらに九つの細かい病型に分類されている。ただ、症状にはかなりのオーバーラップがあるので、遺伝子を調べない限り、確実な病型分類は困難だがな」

鷹央は振り向くと、顔の横で左手の人差し指を立てて、朗々と説明をしはじめる。

「光線過敏って……」

成瀬の眉がピクリと動く。鷹央は満足げにあごを引いた。

「そうだ。この男に生じた『吸血鬼』の特徴、それは全て、ポルフィリン症で生じるものだ。太陽の光を浴びて火傷したのは、皮膚の光線過敏症状。やけに蒼白い皮膚は、貧血によるもの。またポルフィリン症では歯肉が瘦せることがあり、それによって犬歯が目立ち、まるで牙が生えたかのように見える」

「鷹央先生」それまで黙っていた桜井が低い声で言う。「他人を襲って、血を飲もうとするのもその病気の症状なんですか?」

「そのような行動がポルフィリン症患者によくみられるわけではない。ただし……」

鷹央はナイフを持ったまま口を半開きにしているタック・ユオンに視線を戻す。

「ポルフィリン症は強い精神症状を引き起こすことがある。この男が聞いたという『神の声』もおそらく、その症状によるものだろう。それだけ混乱し、幻覚が生じている状態で、他人から外見の変化を『吸血鬼のようだ』と揶揄され続ければ、自らを伝説の怪物であるヴァンパイアであるという妄想に囚われてもおかしくはない」

「だからって、人を襲って生き血を吸いますか？」桜井は額にしわを寄せる。

「ポルフィリン症では貧血が生じる。そして、貧血患者はときに食用ではないものを無性に口にしたくなる異食症という症状が起きることがある。普通は氷や土などを食べることが多いが、自らが『吸血鬼』だという妄想と異食症が重なれば、血液を飲もうとしてもおかしくはない。実際に、世界各地にある吸血鬼の言い伝えの多くが、ポルフィリン症の患者だった可能性が示唆されているんだ」

鷹央は「証明終わり」とでもいうように左手を振ると、さらに数歩、タック・ユオンに近づいた。二人の間の距離は二メートルほどになる。

「日本語だったから詳しい説明までは理解できなかったかもしれないが、自分が『吸血鬼』などではなく、病人だということは理解できただろ」

タック・ユオンは、数秒の躊躇のあと、わずかにあごを引いた。

「なら、ナイフを捨ててこっちにこい。お前には治療が必要だ。ポルフィリン症には根本的な治療法は存在しないが、対症療法によって症状はだいぶ抑えられるはずだ」

「だ、だめです……」

タック・ユオンの蒼白い顔からはいつの間にか敵意が消え、代わりに強い怯えの色が浮かんでいた。おそらくは自分自身に対する怯えの。

「病気だったとしても私は人を、仲間を殺したかもしれない。神様は私を許さない。私は許されちゃいけない。私は死なないといけない。そうでしょ？」

ひざまずき、両手でナイフを持ったまま鷹央を見上げるタック・ユオンの姿は、祈りを捧げているかのようだった。

「私は医者だ」鷹央は力強く言う。「医者の仕事は人を裁くことじゃない。救うことだ。私は必死に捜査をして、そしてお前にポルフィリン症という診断を下した。にもかかわらず、お前にここで死なれたら、これまでの苦労は全て無意味になる」

鷹央は無造作に歩を進める。ナイフを持つタック・ユオンのすぐそばまで。

「お前は罪を犯したのかもしれない。その罪を償わなければならないのかもしれない。けれど、その前にお前はまず、救われるべきだ」

鷹央は柔らかく微笑んで、タック・ユオンに向かって手を伸ばした。

「お前はこの国に来て、様々な苦難にあった。その苦難のうち、せめて疾患によるものだけでも、この国の医師である私の手によって癒させてくれ」

タック・ユオンの震える手からナイフが零れ落ちた。血走っていた目から止め処なく涙が溢れ、浮き上がっている頬骨を伝っていった。

鷹央は微笑を浮かべたままタック・ユオンの手を取った。『吸血鬼』と呼ばれた男の嗚咽（おえつ）が、廃工場の埃っぽい空気を揺らした。

桜井と成瀬がタック・ユオンに駆け寄り、肩を貸すようにしてその体を立たせる。

「まずは病院に連れて行って治療を受けさせてやれ。手錠は嵌（は）めるなよ」

鷹央に指示された桜井は「分かっていますよ」と、気障（きざ）なウインクをした。

「萎（しお）れた中年男にウインクされても嬉しくねえよ」

鷹央は鼻を鳴らすと、踵を返して僕たちの方へと戻ってきた。

「すごいです、鷹央先生。これで事件解決ですね」

鴻ノ池がはしゃいだ声を上げる。鷹央は振り返って、桜井たちに連行されるタック・ユオンに視線を向け、ぼそりとつぶやいた。

「さあ、それはどうかな……？」

第三章　血に溶けた罪

1

「なんか、しっくりこないんだよな」

　鷹央が手にしたワイングラスを回す。ガーネットのような鮮やかな色味を帯びた液体が、照明の光を乱反射した。

「お口に合わなかったでしょうか？」

　そばに控えた初老のソムリエが声をかけてくる。

「ああ、ワインの話じゃない。このワインはとてもうまいよ。タンニンの深い渋みが素晴らしい。さすがはボルドー地方のカベルネソーヴィニヨンだ」

　鷹央は一気にグラスの中身を呷る。ソムリエは「お気に召したようで良かったです」と笑顔でワインを注ぐと、一礼して部屋から出ていった。

奥多摩（おくたま）の廃工場でタック・ユオンを保護した翌週の金曜午後八時過ぎ、僕は銀座（ぎんざ）にある高級フランス料理店の個室にいた。廃工場で鴻ノ池（こうのいけ）に助けられたお礼にディナーコースを振る舞いにきているのだが、……なぜか鷹央までついてきていた。

「あの、鷹央先生、何度も言っていますけど、先生の分は奢（おご）りませんよ」

僕は前菜であるフォアグラのテリーヌをナイフで切りながら言う。

「ああ、分かっているって。私はそもそもつまみのチーズぐらいしか食べないから、その分はちゃんと払うよ」

「いや、ワインもですからね。コースはじまる前からカパカパ飲んでいますけど、そのボトル、かなり高いんですよ」

「なに言っているんだ。私はお前のためを思って飲んでやっているんだぞ」

「……意味分からないんですが」

「いいか、ワインはグラスで注文すると割高になる。だから、同じ量を飲むならボトルで頼んだ方が得だ。しかし……」

鷹央は僕の鼻先に人差し指を突きつける。

「お前はこの後、病院まで私たちを車で送り届けなくてはならない。つまり、お前はワインは飲めない」

「……ええ、そうですね」

「つまり、損をしないためにはボトルを頼まなければならないが、舞しか飲まないとしたら一本全てを消費するのは難しい。なので、仕方なく私がついてきて飲み干してやろうというんだ」

「なんですか、その屁理屈は？　たんに、ワインが飲みたかっただけでしょ。先生が飲んだ分はあとで請求しますからね」

　鷹央は「ちぇっ、けちな奴」とつぶやくと、唇をグラスにつける。

「うわ！　これめちゃ美味しい！　なんか、口の中で蕩ける！　やばっ！」

フォアグラのテリーヌを食べた鴻ノ池が、大きな声を上げる。

「個室とはいえ、あんまり騒ぐな。他の客に迷惑だろ」

僕はため息をつきながら、フォークとナイフを動かす。

「で、鷹央先生、なにが『しっくりこない』んですか？」

あっという間に前菜をたいらげた鴻ノ池は、ちびちびとワインを飲みはじめた。

「当然、『吸血鬼連続殺人事件』についてだ」

クラッカーにブルーチーズを載せている鷹央の答えを聞いて、僕は「まだ考えていたんですか？」と呆れる。

あの日、桜井と成瀬に保護されたタック・ユオンは、警察病院に入院して検査と治療を受けることになった。入院してすぐに行った遺伝子検査で、タック・ユオンは鷹央の診断通り、ポルフィリン症の一種である遺伝性コプロポルフィリン症であるということが確認されていた。

光線防御やポルフィリン症の治療薬であるヘミンの投与、そして精神科医による診察と抗精神病薬の内服により症状はだいぶ治まっているということだ。

ただ、精神症状が激しく出ていたときの記憶はかなり混濁していて、自分が連続殺人犯なのか、タック・ユオン自身もはっきりとは分かっていない状況だった。

精神科の主治医から、まだ精神的な負荷を与えるべきではないとドクターストップがかかっているため、警察も訊問は十分には行えていない。このまま専門の病院へと転院して、精神鑑定をすることになりそうだということだった。

「当たり前だろ。事件は完全に解決したわけじゃない。小鳥、お前、あの連続殺人事件が全て、タック・ユオンが一人でやったことだと思っているのか？」

「いえ、それは……」

テリーヌをフォークで刺しながら、僕は言葉を濁す。たしかに、謎が全てきれいに解決したわけではなかった。ただ、タック・ユオンという『吸血鬼』が保護されたのだから、これから警察が詳しく調べれば明らかになるだろうとたかをくくっていた。

しかし、桜井の報告を聞く限り、警察の方もまだ事件の全容解明には至っていないようだ。最重要容疑者であったタック・ユオンの確保から十日ほど経っても、いまだに捜査本部が解散していないことからもそれは明らかだろう。

「人間の血液は成人男性なら四リットルだぞ。それを、一人の人間が全て飲み干せると思っているのか？　しかも、相手の頸動脈に犬歯を突き刺してだぞ」

鷹央はグラスのワインを飲み干す。僕はボトルを手に取ると、空になった鷹央のグラスに赤い液体を注いだ。

「難しいですよね」

「難しいどころか、まず不可能だ。保護したときのタック・ユオンの痩せ細った体を見ただろ。それに対して、被害者は全員が若く体格のいい男だ。体力では勝負にならない。血を抜くためには何らかの薬物を使って昏睡状態にする必要があるが、あれほどの混乱状態にあったタック・ユオンにそれが可能だとは思えない」

前菜を食べ終えた僕が鷹央の説明を聞いていると、ウェイターがスープを持って部屋にやってきた。

「こちら、カリフラワーのポタージュに、サツマイモのフリットを合わせたものでございます」

前菜の皿を下げ、スープの器を並べるウェイターに、鷹央が「ワインリストを持ってきてもらえるか？」と声をかける。

「本当に、自分のお金でお願いしますよ」

「細かいこと言うなよな」

「細かいことって、鷹央先生、めちゃ高いワイン飲もうとしているでしょ」

「分かったよ。払えばいいんだろ」

　舌を鳴らす鷹央に、スープをスプーンですくいながら鴻ノ池が、「じゃあ、どういうことになるんでしょう？」と訊ねる。

「一番考えられるのは、タック・ユオンが何者かに利用されていた可能性だな。あの男はポルフィリン症による精神症状で極めて不安定な状態だった。うまく暗示をかければ、犯罪行為を行わせ、その責任を擦り付けることが可能だったはずだ」

「じゃあ、濡れ衣を着せられたってことですか？」

　鴻ノ池はスープを一口すると、「めっちゃなめらか！」と感嘆の声を上げる。

「そう考えるのが妥当だろうな。ジャパニーキという反社会組織は、行くあてのない元技能実習生たちに犯罪を強要していた。そして、タック・ユオンは罪を擦り付けるには最高の人材だ」

「もしかして、最初の遺体現場で彼が目撃されていたのって、犯人だからじゃなく、スケープゴートとしてだったんですかね？」

　ポタージュスープの深い甘みとコクを楽しみながら、僕は言う。

「というか、遺体の処理を命じられていたんじゃないか。久留米池公園の林の中に埋めるように指示されていたが、その前にホームレスに見つかってしまった。パニックになって逃げる際にトレードマークとして持っていた水晶のストラップを落とした。なので組織はその後、死体のそばに水晶を置くことでタック・ユオンの犯罪に見せかけようとした。二体目以降、遺体からタック・ユオンの唾液が検出されているのも、組織が意図的に行った可能性が高い」

ノックが響き、部屋に入ってきたソムリエが「お待たせしました」と、手にしたワインリストを鷹央に差し出す。

「そうだな。今度はメルローを飲みたいな」

「でしたら、こちらのボトルなどいかがでしょう。同じボルドー地方のシャトーで作られたものです」

「おっ、いいな。これを持ってきてくれ」

ソムリエは「かしこまりました」と一礼して部屋から去っていく。

……絶対奢らないからな。

「さて、というわけで、タック・ユオンの罪は、殺人ではなく死体遺棄だった可能性が高いというわけだ」

「けど、コウモリのタトゥーが入った元技能実習生の遺体なんて、これまで見つかっていなかったですよね。なんで急に、連続して死体を捨てはじめたんでしょう」

スープを飲み終えた僕がつぶやくと、鷹央は冷たい視線を送ってくる。

「この小鳥頭が」

「こ、小鳥頭ぁ？」

鳥頭よりひどい悪口を言われた⁉

「なに忘れてんだよ。ちょうどその頃、フィリピンを拠点にしていたパニーキの本部が治安部隊に襲撃を受けて弱体化したんだろ。そして、それに合わせて独立しようとして失敗したジャパニーキは、本部との関係が致命的に悪化した。本部の力を借りられなくなったどころか、攻撃を受けはじめたジャパニーキは壊滅状態に陥り、ボスはなんとか姿をくらまそうとしていた」

「だから、自分の正体を知っている側近たちを始末しはじめた。けれど、本部の力を借りて遺体を処理することが出来なくなっているから、混乱してなんでも指示に従うようになっていたタック・ユオンに遺体の処理を命じた。そういうことですか？」

スープを飲み終えた僕が言葉を引き継ぐと、鷹央は「だろうな」と頷(うなず)く。

「しかし、タック・ユオンが失敗して姿を見られたので、濡れ衣を着せて捜査をそちらに向けさせ、時間稼ぎをしているうちに姿を消すという作戦へと変更した」

喋(しゃべ)り疲れたのか鷹央が息を吐いていると、ソムリエがワインボトルとグラスを持って部屋に入ってきた。

「こちらが、二〇〇八年のシャトー・ラトゥールになります」

ソムリエは流れるような手つきでソムリエナイフで封を切ると、コルク栓を開ける。

「テイスティングをお願いいたします」

新しいグラスにわずかにルビーのような淡い紅色の液体を注がれる。それを手に取った鷹央は、グラスを回してその側面についた色合いを確かめ、鼻を近づけて香りを楽しんだあと、一口含んで口腔内でワインを転がした。

「ふむ、いい味だ。メルローなのでタンニンの渋みはやや薄いが、それが爽やかな酸味とマッチしている。またヴァニラを彷彿する樽香がそれに絡まり、美しいハーモニーを奏でている」

やけに詩的にワインの味を表現する鷹央に、ソムリエは「恐縮です」と一礼する。

なんかめっちゃ高そうなワインを注文している……。

鷹央のグラスにワインを注ぎ、ソムリエは部屋をあとにする。

「けど、いま鷹央先生が説明したことで事件の謎はほとんど解けたんじゃないですか？　まだ『謎』ってなにかあるんですか？」

鴻ノ池がカップにわずかに残っているスープを、フランスパンに吸わせながら訊ねる。

「もちろん『吸血』のことだ。今回の連続殺人事件の被害者たちは全員、おそらくは首に開けた穴から全身の血液を抜かれて失血死していた。なぜ、そんな手間のかかる殺し方をしたのかが分からない」

「『吸血鬼』であるタック・ユオンの犯行だと思わせて、捜査を混乱させるためじゃないですか？」

僕が言うと、鷹央は冷たい視線を浴びせかけてくる。

「お前、少し考えてから言えよな。だから、みんなから小鳥頭とか言われるんだぞ」

「言っているのは鷹央先生だけです！」

僕の反論を聞き流した鷹央は、ワイングラスを揺らしはじめる。

「いいか、タック・ユオンに罪をなすり付けることにしたのは、最初の遺体を処理する際に失敗して、姿を目撃されたからだ。だから、そのあとの殺人で『吸血鬼』の仕業に見せかけるのは分からんでもない。けれど、問題は久留米池公園で最初に発見された遺体も全身の血液が抜かれていたことだ」

当然の指摘に、僕は思わず「あ……」と声を上げる。

「なにが、『あ……』だよ。それくらい気づけよな」

鷹央が鼻を鳴らすと、スープのついたパンを飲みくだした鴻ノ池が手をあげる。

「なら、どうして首筋に穴を開けて血液を抜くなんていう、ものすごく手間がかかる殺害方法にしたんですか？」

「だから、それが分からないから、すっきりしないんだよ。普通に考えれば、何らかの理由で大量の血液を必要としていたからだが、その『理由』が分からない」

鷹央がワインの香りのするため息を吐いたとき、陽気なアニメソングが個室の空気を揺らした。キュロットスカートのポケットからスマートフォンを取り出した鷹央の片眉が、ピクリと上がった。

「桜井からだ」

鷹央は通話のアイコンに触れると、スピーカーモードにしてテーブルに置く。

「鷹央だ」

『どーもどーも、鷹央先生、夜分恐れ入ります。いま少し、大丈夫でしょうか？　お忙しければかけなおしますが』

「大丈夫だ。ちょうど小鳥と舞もいる。いま銀座のフレンチレストランで、小鳥の奢りでいいワインを楽しんでいるところだ」

「ワインは奢りませんからね！」

僕の抗議を黙殺すると、鷹央は「で、どうした」と桜井に水を向ける。

『ご報告することがありまして。先ほどジャパニーキのボスの男が発見されました』

「ジャパニーキのボスが⁉」

鷹央は両手をテーブルについて、椅子から腰を浮かす。

「誰だ？　どんな奴なんだ」

『鷹央先生たちも会ったことがある人物ですよ。宮内誠志と名乗っていた男で、「NPO法人　技能実習110番」という団体の代表を務めていました』

ファン・チェットの行方を捜していた際に訪れた、彼が相談していたというNPO団体の代表。スーツを着込んだ誠実そうな中年男性の姿が脳裏に蘇る。

「あの男がジャパニーキのボス……」鷹央の眉間にしわが寄る。

『ええ、そうです。過酷な労働を強いられている技能実習生たちの力になる団体に見せかけておいて、その実、相談に来た実習生を反社会組織にスカウトをし、使い捨ての駒として犯罪行為を行わせていたようです。これも、公安から苦労してなんとか引き出した情報ですが』

公安部との交渉がよほど大変だったのか、桜井の口調には強い疲労が滲んでいた。

僕は二週間近く前に訪れた、『NPO法人　技能実習110番』の事務所を思い出す。ものが少ない事務所だと思っていたが、あれは姿を消すつもりだったからか。

『さらに、宮内というのは偽名で、本名は宮城という名でした』

「宮城って言うと……」鷹央の眉間のしわが深くなった。

『ええ、そうです。タック・ユオンが勤めていた工場の社長だった男です。タック・ユオンは工場が廃業になったことで逃げだして反社会組織に入ったわけではありません。あの工場自体が廃業とともに反社会組織へと変化したようです』

「だからこそ、あの工場が殺人の犯行現場に使われ、そしてタック・ユオンはそこに潜伏していたということか」

鷹央は大きく息をついた。

「事件の謎の大部分は解けたな。あとは逮捕されたその宮城という男をお前らが搾り上げて、なぜ被害者たちに血のタトゥーを彫ったのか、そしてなぜ頸動脈から全身の血液を抜くなんていう異常な殺害方法をとったのかを聞き出せば全て解決だ」

桜井の返答はなかった。鷹央は「おい、聞こえているか？」と訊ねる。

『……はい、聞こえています。ただ、宮城は逮捕されてはいないんです。奴を尋問することはできません』

「どういうことだ？　さっき『発見した』といっていただろ。目撃情報だけがあって、まだ身柄を確保していないということか？」

『いいえ、身柄は確保しました。……遺体として』

鷹央が息を呑む。フランスパンをちぎっていた鴻ノ池の動きが止まった。

「遺体⁉　死んでいたのか？」

『はい、今朝、多摩川の河川敷の水たまりに仰向けに倒れている遺体を、土手をランニングしていた近所の住人が発見し、通報しました。確認したところ中年男性の遺体で、死後半日というところでした。指紋を照会したところ、かつて傷害事件で前科のあった宮城のデータと一致して身元が確認されました』

「……パニーキから粛清を受けたということなのか？」

『捜査本部ではその可能性が高いのではないかと考えられています。ただし……』

桜井は言葉を濁す。鷹央が「ただし、なんだ？」と急いた様子で先を促した。

『宮城の体にあった外傷は、首筋に穿たれた二つの小さな穴だけでした。そして、検視官の見立てでは宮城の体からは血液がほとんど抜き取られている可能性が高いということでした』

室温が一気に下がった気がした。重く、そして冷え切った沈黙がシャンデリアの輝く個室に満ちる。

『現在、分かっているのはそれだけです。詳しいことが分かりましたら、あらためて説明にうかがわせて頂きます。それでは、失礼します』

そう言い残し、桜井は回線を切る。

「死後半日ということは……」

僕がおずおずと声をかけると、鷹央はスマートフォンをポケットに戻しながら、重々しく頷いた。

「ああ、宮城の血液を抜き取って殺したのは、タック・ユオンではない」

鷹央はグラスに手を伸ばすと、それを軽く回した。

「『吸血鬼』がもう一人いる」

2

「ヒットマンだぁ？」

鷹央の声が薄暗い部屋にこだまする。

フレンチレストランでのディナーから二日後の昼、僕たちは鷹央の〝家〟で桜井と成瀬から報告を受けていた。

今日は休日なのだが、文字通り命がけで捜査に参加した事件の顚末を知りたかったし、一昨日のワインの代金を鷹央から回収するという極めて重要なミッションもあったので（結局目の飛び出るような金額を僕がまとめて払った）、こうして病院にやってきていた。病院のそばにある研修医寮に住む鴻ノ池も当然のようにきていて、いつものメンツがこの部屋に集まっていた。

「ええ、そうです。フィリピンからパニーキのヒットマンがやってきて、組織を裏切った宮城を粛清したと考えられています」

淡々とした桜井の説明に、鷹央はかぶりを振る。

「本当にヒットマンなんてものが国内に入ってきたのか？」

　鷹央の気持ちは十分に理解できた。治安のよい日本に住んでいる僕たちにとって、『ヒットマン』などというものは『吸血鬼』に勝るとも劣らぬほど非現実的な存在だ。

　桜井は「間違いありません」と頷いた。

「宮城の遺体発見現場の周囲にある防犯カメラの映像を調べたところ、深夜に東南アジア系の外国人と思われる男が、宮城の遺体を車のトランクから運び出しているのが確認されました。また、その映像をフィリピン当局に確認したところ、間違いなくパニーキのヒットマンだということでした。おそらく偽造パスポートで入国してきて、すでにフィリピンに戻っている可能性が高いと思われます」

「けれど、宮城はこれまでの遺体と同じように、首の穴から全身の血液を抜かれて殺されているんだろ。なんでヒットマンがそんな面倒なことをするんだ」

　鷹央の問いに、桜井は押し殺した声で「……拷問です」と答えた。

「拷問？」鷹央の鼻の付け根にしわが寄る。

「ええ、そうです。フィリピン当局から得た情報では、パニーキは裏切り者に対し、身動きができないように体を固定したうえで、首に筒を刺してそこから抜けていく血液を見せつけて殺害するそうなんです。そうやって自分がじわじわと死に近づいていっているという恐怖を与えるために」

「悪趣味……」鴻ノ池がうめく。

「ええ、悪趣味ですね。パニーキ、つまりはコウモリという組織の名前から考えたオリジナルな拷問ということです」

「裏切り者である宮城は、パニーキのヒットマンから組織の掟に従って拷問を受けて殺された。そう警察は考えているんだな？」

桜井は「はい」と迷うことなく頷いた。

「では、これまでに見つかった遺体はどうだ？　奴らもパニーキのヒットマンが殺したと考えているのか？」

「いえ、それは身を隠そうとしていた宮城が、自分の正体を知っている人物たちを殺害したうえで、タック・ユオンにその罪を擦り付けようとしていたと考えています」

「では、なんで宮城は被害者たちから全身の血液を抜き取るなんていう、手間のかかる殺害方法を選んだんだ。若い男たちを抵抗できないようにして失血死させるなんて、極めて面倒で、反撃を受ける危険のある行為だったはずだ」

「どうやら反撃の危険は小さかったようです。司法解剖の結果、ファン・チェットをはじめとする被害者たちの体内から、かなりの濃度の麻酔薬が検出されました」

「おい！　そんな重要な情報、なんでこれまで黙っていた⁉」鷹央の声が大きくなる。

「血液がほとんど残っていなかったので解析に時間がかかったようですね」

悪びれる様子もなく桜井は説明するが、それが本当なのか、それとも情報を隠していただけなのかは、この腹黒刑事の態度からはやはり読み取れなかった。

「なんにしろ、被害者たちは昏睡状態で血液を抜かれたようです」

「なら確かに反撃の危険性は低かったかもしれないが、それでも面倒なことには変わりないだろ。それに昏睡状態なら、血液が抜けていく様子を見せつけて恐怖を与えることはできない。なんでわざわざ宮城は頸動脈に穿刺して血液を抜き取ったんだ？」

「自らが『吸血鬼』だと思い込んでいるタック・ユオンをスケープゴートにして、捜査を攪乱させようと最初から企んでいたからと捜査本部は考えています。もしくは、宮城が異常な性癖を持っていた可能性も否定できません」

鷹央はいぶかしげに「異常な性癖？」と聞き返す。

「そうです。ジャパニーキの下っ端で、数ヶ月前に麻薬取締法違反で逮捕され、服役中の男が証言しているんです。ジャパニーキに入ってから、まるで献血でもするかのように定期的に血液を抜かれていたと。その男だけじゃありません、何年も前からジャパニーキのメンバーは全員が、血液の提供を強要されていた。メンバーの中で採血の技術を習った人物が、専用の器具を使って血液を回収していたということです」

「……捜査本部は宮城が血液に異常な執着を持っていたため、そんなことを行っていたと考えているんだな？」

「そうです。血液を売っていたのではないかという意見も出ましたが、調べてみたところ採算が取れるようなものではないことが分かりました。なので、最終的には宮城が血液を自らの変態的な趣味のために弄んでいたんじゃないかと考えています」

「血液を弄んでって、具体的には何をしていたと考えているんですか？」

顔をしかめながら僕が訊ねると、桜井は嫌悪感で飽和した口調で答えた。

「生き血を飲んだり、血の風呂に入っていたのではないかと我々は考えています」

あまりにもおぞましい内容に吐き気をおぼえ、僕は胸を押さえる。代わりに、鷹央が質問を重ねた。

「宮城が血液に執着していたという証拠はなにかあるのか？」

「直接的な証拠はありません。ただ、間接的な証拠ならあります。コウモリのタトゥーですよ」

「タトゥーがどうした？」

「フィリピンでも、その他の国でもパニーキはメンバーにコウモリのタトゥーを彫らせています。しかし、血液でタトゥーを彫らせるなんていう異常なことをメンバーに強いていたのはジャパニーキ、つまりは宮城だけなんですよ」

「それだけの状況証拠で、宮城が血液に対して偏執的な感情を抱いていたと断定することはできない」

「ええ、その通りですね。しかし、もう断定は必要ありません。吸血鬼連続殺人事件の主犯と思われる宮城は殺され、そして殺害犯と思われるヒットマンはすでに国外に出てしまっているのですから」

「警察はこれ以上、捜査をしないということか？」

「元技能実習生たちの殺害については、宮城を被疑者死亡で送検して終わりになると思います。タック・ユオンは死体遺棄罪が適用できますが、おそらく精神鑑定で心神喪失と判断され不起訴処分となり、治療を受けることになるでしょう。そして、国外に逃亡した殺し屋の捜索についてはフィリピンの警察に協力を仰いで待つしかありません。なんにしろ、捜査本部は解散となります。鷹央先生をはじめ、統括診断部の皆様の捜査へのご協力、心から感謝いたします」

慇懃（いんぎん）に告げた桜井は深々と一礼すると、「そろそろ、おいとましようか」と成瀬を促して出入り口に向かう。その背中に鷹央が声をかけることはなかった。

「では、失礼します」

そう言い残して、桜井は成瀬とともに玄関から出ていった。扉が閉まる音がやけに寒々しく部屋に響く。

「いいんですか、行かせちゃって？　なんか中途半端な感じですけど……」

混乱した様子で鴻ノ池が訊ねる。

「仕方がないだろ。あいつらはしょせん宮仕えの身だ。たとえ納得していなくても、上の指示に従うしかないのさ。捜査本部が解散したら、あいつらはすぐに次の事件の捜査を命じられる。今回の事件を追うことはできない」

鷹央は後頭部で両手を組むと、反り返るようにソファーの背もたれに体重をかけた。

「統括診断部に協力を求めてきたくせに、もう桜井さんは吸血鬼連続殺人事件の真相なんてどうでもいいと思っているってわけですか」

頬をわずかに紅潮させながら、鴻ノ池は不満げに言う。

「いいや、そんなことはない。だからこそ今日、ここに直接説明に来たんだ」

鷹央はにやりと口角を上げる。鴻ノ池は「だからこそ？」と首を傾けた。

「そうだ。あいつはさっき、あのどす黒い腹の中に隠していた情報を全て吐き出していった。つまり、事件の真相を暴く役目を、全て私に任せたということだ。ある意味、敗北宣言だな」

「それなら、そうといえばいいのに」

呆れた様子で鴻ノ池が言うと、鷹央はふっと鼻を鳴らした。

「そこが、腹黒タヌキとしてのプライドなんだろうな」

「それで、桜井さんからの情報でなにか分かりましたか？　なんか、ヒットマンとか、血の風呂に入っていたとか、あまりにも現実味がないんですけど」

僕は頭に手を当てる。

「防犯カメラの映像で確認されているということは、宮城の殺害にパニーキの殺し屋がかかわっているのは間違いないんだろう。今回の事件は、そういうアンダーグラウンドの出来事だったってことだ。ただ、分からないのは、吸血鬼連続殺人の被害者たちの血液が抜かれていたのが、本当に宮城の変態的な性癖によるものなのか、それとも他の意味があるかだ。そこさえはっきりすれば、まだ輪郭がぼやけているこの事件の真相が明らかになるはずだ」

鷹央は腕を組んでつぶやきはじめる。

「血のタトゥー、そして集められた大量の血液……」

唐突に玄関扉が勢いよく開き、長身の女性が室内に入ってきた。

「鷹央！」

怒声が響き渡る。ゆったりとソファーにかけていた鷹央の痩軀(そうく)が大きく震える。

「姉ちゃん⁉」

部屋に乗り込んできた姉の真鶴(まづる)を見て、鷹央の顔に恐怖が走った。

「ど、どうしたんだよ？」

「どうしたじゃありません！」

大股に近づいてきた真鶴は、僕を見てはっとした表情を浮かべる。

「あ、小鳥遊先生と鴻ノ池さんもいらっしゃったんですね。驚かせてすみません」

いつも通りのおっとりとした笑みを浮かべ、そのまま再び鷹央を見る。しかし、その目だけは全く笑っていなかった。

「鷹央、あなたこの前、北条総合病院に押しかけて、あちらの先生にご迷惑をおかけしたようね」

「な、なんでそのことを？」

「あちらからうちの病院に抗議があったからに決まっているでしょ！」

「作田の奴、チクるなんて卑怯な……」

雷を落とされた鷹央が首をすくめていると、真鶴は腕に下げていたエコバッグから何かを取り出した。

お仕置き用の鞭でも出てくると思ったのか、鷹央は「ひゃっ！」と小さな悲鳴を上げて、両手で頭を抱えた。しかし、予想に反して真鶴が差し出したものは、『銘菓』と記された高級そうな包装紙に覆われた箱だった。

「和菓子？」鷹央は目をしばたたく。

「ええ、どら焼きよ。日本橋にある名店のものをわざわざ買ってきてもらったの」

「あっ、行列ができるって有名な名店じゃないか。え、これ食べていいの？」

「いいわけないでしょ！」

真鶴は鷹央の胸元に、強引に箱を押し付ける。

「これをもって、いますぐ北条総合病院に謝罪に行きなさい！」

「でも今日は日曜じゃん。作田がいるかどうかは分からないぞ」

「すぐに出向くことで誠意が伝わるんです！　もし、作田先生がいらっしゃらなかったら、病院の代表にそちらを渡したうえで、また明日あらためて行きなさい！」

「えー、そんな非効率的……」

文句を言いかけた鷹央は、真鶴の刃物のように鋭い視線で射抜かれ、口をつぐむ。

「そ、それじゃあ小鳥君、すぐに北条総合病院に向かうとしよう。お前もあの病院に『押し掛けた』んだから当然、一緒に行くよな」

しれっと僕まで巻き込まないでくれ！　心の中で抗議しつつ、僕は「……分かりました」とソファーから腰を浮かす。ここで言い争ったら、自分だけ叱られるのを避けたい鷹央が、僕を共犯にしようとするのが目に見えている。面倒くさいが、さっさと連れ出すのが吉だろう。

僕がどら焼きの箱を持った鷹央とともに玄関に向かうと、鴻ノ池も「あ、仲間外れにしないで下さいー」と、呑気なことを言いながらついてきた。

〝家〟から出たところで、鷹央は大きく安堵の息を吐いた。

「なんとか、逃げられた。これで折檻はされずに済む。あとは姉ちゃんの怒りがおさまるまでどこかで時間をつぶして……」

鷹央がそこまでつぶやいたとき、玄関扉がわずかに開き、その隙間から真鶴が顔の半分だけを覗(のぞ)かせた。

「鷹央、謝罪が終わったらすぐに戻ってきなさいよ。少しお仕置き……、じゃなかった、お話があります」

「ひゃん」

鷹央は泣きそうな顔で、尻尾(しっぽ)を踏まれたネコのような声を出したのだった。

3

「作田先生、いませんでしたねえ……」

僕は閑散とした外来待合を歩いていく。真鶴にどやされた鷹央とともに、僕たちは北条総合病院にやってきて消化器内科病棟へと向かったが、危惧した通り作田は出勤していないということだった。

「どうします？　とりあえず休日受付に行って、真鶴さんに指示された通りに病院の代表に謝りますか？」

声をかけるが、前を歩く鷹央は返事をしなかった。

「鷹央先生？」

　僕は鷹央の隣に並んで、顔を覗き込む。鷹央は手にしているどら焼きの箱をもの欲しそうに見つめていた。

「ダメですよ、ダメ。さすがに、それを食べるのはダメです」

　僕が慌てて釘を刺すと、鷹央は「なんでだよ？」と頰を膨らませた。

　なんでって、あなた……。僕が絶句していると、鷹央は包装紙に記されている数字を指さす。

「このどら焼きの消費期限は明日までだ。つまり、早いうちに誰かが消費しなければならないということだ」

「その『誰か』は、間違いなく鷹央先生以外の『誰か』です」

「いや、そうとは限らない」

「……限るでしょ」もはや突っ込む口調にも力が入らない。

「よく考えてみろ。病院の代表をいまから受付に行って呼び出したとしても、それはあくまで日直当番の責任者、臨時の責任者でしかない。それらは普通、各診療科の部長がローテで受け持つ。つまり、病院長や理事長がいまいる可能性は低い。だろ？」

「いや、そうでしょうけど……」

「それらの臨時責任者は、院内で大きなトラブルがあった際に対応するためにいる。

つまり、ここで呼び出すと『大きなトラブル』があったのではないかと驚かせることになる。それは申しわけない」

反論するのも面倒くさくなり、僕は「さいですか」と適当極まりない相槌を打った。

「というわけで、残念ながらこのどら焼きを渡すことはできない。しかし、和菓子職人が魂込めて作ってくれたこの芸術作品が、誰の口にも入らないというのは許されることではない。涙を呑んで、私たちが食べるしかない。そうじゃないか？」

鷹央は演説でもするかのように力強く言う。

「呑んでいるのは涙じゃなくて、涎でしょ」

真鶴に叱られて慌てて出てきたので、昼食を食べ損ねていた。空腹な状態で大好物の甘味を前にして、もはや食欲の抑制が利かなくなっているのだろう。

「わー、私もこのお店のどら焼き、食べたいと思っていたんですよね。楽しみ」

鴻ノ池がお気楽なことを言いながら、胸の前で両手を合わせた。

あとで真鶴さんに、めちゃくちゃ怒られるんだろうな……。

「そうだ。せっかく食べるなら、あの庭園に行こう」

鷹央は軽い足取りで、庭園への出入り口へと向かう。

飢えた鷹央を止めることを諦めた僕は、数時間後に起こるであろう悲劇を想像しつつ、鴻ノ池とともについていく。今度こそ共犯にされないよう、どれだけ勧められても絶対にどら焼きは食べないようにしなくては。

「おお、相変わらずしっかり整備されていて、気持ちがいいな」

庭園に出た鷹央は軽い足取りで遊歩道を進んでいく。やがて、水晶の十字架が埋まっていた紫陽花(あじさい)が見えてきた。

紫陽花のそばに、車椅子に乗っている女性が佇(たたず)んでいる。

「ああ、先日はどうも」

車椅子の女性、松本加奈(まつもとかな)は哀(かな)しげに微笑(ほほえ)みながら会釈をした。

「今日も見舞いか？　しっかりと話せたのか？」

鷹央が声をかけると、加奈は弱々しく首を横に振った。

「いいえ、今日も追い出されました。午前十時ごろに来たんですけど、すぐに『顔も見たくない！　出ていけ！』って怒鳴られて」

「午前十時？　もう三時間も経っているじゃないか？　ずっとここにいたのか？」

「ええ。今日帰ったら、……もう会えないかもしれないので」

紫陽花を見つめる加奈の瞳が潤んだ。

「……厳しい状態なのか？」

「はい。かなり貧血がひどくて、そのせいで心不全を起こしているそうです」

血液中の赤血球数が少なくなると、必要な酸素を全身に送るために心臓は拍出量を上げなくてはならなくなる。しかし、限界を超えて酷使された心臓はやがて消耗し、心不全を起こしていく。

「貧血……。どこからか出血しているのか？」

「主治医の先生はそうおっしゃっています。ただ、出血箇所ははっきりしないみたいです。外には出ていないから、たぶん体内のどこかで血が出ているんだろうって。でも、その場所を調べる検査や、止血する処置は負担がかかるのでしない方針です」

白血病では骨髄が腫瘍細胞で満たされ、造血機能が失われることが少なくない。当然、止血に必要な血小板も不足し、出血傾向になる。

出血箇所の検査や止血処置は、かなりの負担と苦痛を伴う。ホスピスで緩和医療を受けている末期がん患者に行わないという判断は、当然のものだろう。

黙って状況を整理している僕の前で、加奈は指で目元を拭った。

「たぶん、今日がヤマだって言われています。せめて最期だけでもそばにいて……看取りたいんで、ここで待っているんです」

「そうか。それがいいな」

鷹央は微笑むと、そばにあるベンチに腰掛けてどら焼きの包装紙を開きはじめる。本気で食べるのか……。知らないぞ。

いそいそと蓋を開けた鷹央は、包みに入ったどら焼きを取り出すと、加奈に向かって差し出す。

「一つどうだ？　甘いものを食べると、少しは気持ちが楽になるぞ」

「ありがとうございます。お気持ちだけ頂いておきます。いま、お昼を食べたばかりなので」

軽く会釈をする加奈の膝の上には、サンドイッチが二切れ入った小さなプラスチックケースが載っていた。

「そんな小さな容れ物なのに全部食えないということは、よほど食欲がないんだな」

「食欲はないですけど、これを残したのは嫌いなものが入っていたからです。ぼーっとして、食べられない種類が入っているミックスサンドのセットを買っちゃって」

「アレルギーかなにかか？」

鷹央は包みから取り出したどら焼きを両手でつかむ。

「いえ、たんにハムが嫌いなんです。……本当に嫌い」

加奈の声が低くなる。その口調は嫌悪というより、憎悪に近い響きを孕んでいた。

「豚肉がダメということか？」

「そんなことはありません。豚肉は普通に食べます。ただ、……ハムはダメなんです。聞いただけで虫唾が走ると言うか」

聞いただけ？　震えるほどに強く拳を握る加奈の姿を、僕は首を捻りながら眺める。

「ハムと聞いただけでねぇ……」

興味なげにつぶやいて、どら焼きにかぶりつこうとした鷹央の動きが止まる。

「鷹央先生、どうしました？」

お詫びの品であるどら焼きに手を付けるべきではないと、思い直したのだろうか？

「……その足は怪我か？」

唐突に、鷹央が加奈に訊ねる。あまりにも無遠慮な質問に、どきりとするが、加奈は気にした様子もなく、微笑んで首を横に振った。

「いえ、ちょっとした神経の病気です。ただ、だいぶ良くなってきているんですよ。三年前にはほとんど全身が麻痺してベッドから起き上がれなかったのに、二年くらい前からこの病院で特別な治療を受けたおかげで、いまでは車椅子を使えば普通に大学にも通えるようになりました。最近は二、三歩なら歩くこともできるようになってきているんです」

それほど強い麻痺が出たのに、じわじわと改善する神経症状と言うと、ギラン・バレー症候群かな？　頭の中に鑑別疾患が浮かんでいく。

「神経……、麻痺……、治療……、ハム……」

呪文を唱えるかのようにつぶやく鷹央の手からどら焼きがこぼれ落ちる。

「ああ、なにしているんですか。もったいない」

僕が慌てて駆け寄るが、鷹央は焦点の失った目で空中を眺め続けていた。

「鷹央先生、どうしたんですかぁ？」

鴻ノ池が声をかけた瞬間、鷹央は弾かれたように勢いよく立ち上がった。

「分かった……。全部分かった……。しかしまさか、そんなことを……」

熱に浮かされたような口調で言うと、鷹央はいきなり走り出した。膝の上に置いていたどら焼きの箱がひっくり返り、中身が全部地面に投げ出される。

「あっ、鷹央先生、待って下さい。どこに行くんですか⁉」

声をかけるが、鷹央はまるで聞こえていないのか、振り返ることもせずに走っていった。落ちたどら焼きを鴻ノ池が「もったいないもったいない。もったいないお化けがでちゃう」と箱に戻すのを尻目に、僕は地面を蹴って鷹央を追いはじめる。

一年強の付き合いの中で、鷹央がこのような状態になるのを何度も見てきた。追い求めていた『謎』の真相に触れたときだ。

鷹央がなんの『謎』を解いたのか。そんなの決まっている。吸血鬼連続殺人事件だ。あのおぞましく、不可解で、混沌とした事件の真相に鷹央は気づいたのだ。

けれど、なにが鷹央にインスピレーションを与えたというのだろう。松本加奈が神経疾患を患い、そしてハムを嫌っているという事実。それがなぜ手がかりになったのか、僕には想像できなかった。

わき目もふらずに遊歩道を進んだ鷹央は、その奥にある別館の扉を勢いよく開くと、中へと入っていく。ナースステーションにいた二人の看護師が、驚いて振り返った。

「あの……、どなたですか？」

看護師の一人がおずおずと声をかけてくる。

「天医会総合病院、統括診断部部長の天久鷹央だ。ここの患者に用がある」

高らかに名乗った鷹央は、正面にある大階段を一段飛ばしで登っていくと、二階にある病室の扉を開く。

「あ、ダメです。待って下さい」

一階にいる看護師が慌てて声をかけるが、鷹央は気にするそぶりも見せずに扉を開けて中へと入っていった。一瞬躊躇したあと、僕もそれに続く。

二週間前と同じように、病室には麗らかな陽光が差し込んでいる。しかし、ベッドに横たわる女性、比嘉慧の様子は大きく異なっていた。

壁の配管から伸びたチューブが、女の口元にかぶさっているプラスチック製のマスクに接続され、そこからシューシューと音が響いている。おそらく、大量の酸素を投与しなければ呼吸状態を維持できないのだろう。

比嘉の顔色は以前よりさらに蒼白くなっていて、まるで青磁器で出来たマスクをかぶっているかのようだった。前回見たときは枯れ木のように節ばり、中手骨が浮き出ていた手の甲は、いまはグローブを嵌(は)めたかのようにパンパンに浮腫(むく)んでいる。

重度の浮腫だ。貧血による消耗性心不全により、全身の循環動態が破綻し、血液が滞った末端の静脈から水分が滲み出ている。この状態なら、おそらく肺に水分が滲み出す肺水腫も起きているだろう。呼吸状態が悪化するはずだ。

ベッドサイドにある心電図モニターに表示されている心拍数は、毎分百三十を超えている。消耗しきった心臓がいま必死に脈打ち、全身に血液を送ろうとしている。しかしそれも限界を迎え、心拍数は徐々に下がっていき、ついには拍動を止めるだろう。

おそらくあと一時間もしないうちに、この女性の命は尽きる。外科医として多くの患者を看取ってきた僕の経験がそう告げていた。

「話がある。とても大切な話だ」

話しかける鷹央に、ベッドに横たわる比嘉が視線を向ける。その双眸(そうぼう)を見て、僕は唖然(あぜん)とする。二週間前には完全に虚(うつ)ろだったその瞳は焦点を取り戻し、強い意志の光を宿していた。その姿を見て、僕は前回見たこの患者の混乱した様子は、演技であったことに気づく。

「この病室は面会謝絶です。すぐに出ていって下さい」

勢いよく部屋に入ってきた看護師が、息を切らせながら言う。

「……いいのよ」

穏やかな声が響いた。激しく酸素が流れ込んでいるマスクの下から。

「私はこの人たちとお話があります。悪いけれどナースステーションで待っていて」

「けれど……」

逡巡する看護師に、比嘉は再度「部屋から出て」と告げる。その口調は穏やかだが、抵抗することを許さない強さを孕んでいた。

看護師は硬い表情で一礼すると、部屋から出ていく。入れ替わるように、どら焼きの箱を抱えた鴻ノ池が室内に入ってきた。

「どら焼き、汚れていないのは全部拾ってきましたよ。どうしますか、これ」

「ああ、悪い。その箱、こっちに持ってきてくれ」

鷹央は鴻ノ池から、土で少し汚れているどら焼きの箱を受け取ると、それをベッドのそばにある床頭台へと置いた。

「これは予定通り、この『病院の代表』に渡すことにしよう。つまりは……」

鷹央はすっと目を細めて、比嘉を見る。

「この女だ」

「え⁉　病院の代表⁉」

僕と鴻ノ池の驚きの声が重なる。鷹央は満足げに頷くと両手を広げる。

「そう、この女こそ、この北条総合病院の理事長にして、タック・ユオンの主治医、そして……」

鷹央は言葉を切ると、舌なめずりをするかのように唇を舐めた。

「多くの人々の生き血を啜った、『吸血鬼』だ」

4

「ど、どういうことなんですか？」

混乱の渦に巻き込まれながら僕が訊ねると、鷹央は肩をすくめた。

「よく考えたらおかしいだろ。いくら今後、ホスピスとして使用することを予定しているとはいえ、本格稼働前から何ヶ月も一人の患者をこの別館に入院させるなんて。しかし、この女が北条記念病院の重要人物なら話は別だ」

「じゃあ、本当に比嘉さんが……」

「ああ、理事長だ。そうだよな？」

比嘉はわずかに微笑んだ。その態度は、肯定に等しいものだった。

「けど、タック・ユオンの主治医っていうのはおかしくないですか？　だって、主治医は作田先生でしたよね」

混乱しているのか、鴻ノ池が頭を細かく振る。

「体の主治医じゃない。心の主治医だ。カルテに記されていた、『Akira Hojo』という医師、それが、この女だよ」

「え、だって名前がちがうじゃ……」

「『慧』という字は『ケイ』ではなく、『アキラ』とも読むことが出来る。松本加奈が『ケイおばさん』って呼んでいたから、ついそれが本名だと勘違いしてしまったんだ」

鷹央は言うと、比嘉は弱々しい苦笑を浮かべた。

「『アキラ』っていう名前が嫌いでね。小学生のとき、『男の名前みたいだ』ってよくからかわれたから。だから、『ケイ』って名乗っていた。近しい人でもそっちが本名と思っている人は多いのよ」

「じゃあ、苗字は……？」

鴻ノ池は情報を必死に整理しているのか、両手をこめかみに当てる。

「この女は夫と死別している。だから、苗字を愛着のある元のものに戻したのだろう。ただ、仕事では利便性を考えてそのまま夫の名前を使うケースも少なくない」

「利便性というより、たんに面倒くさかったのよ。わざわざ申請するのがね」

かすかに笑い声をあげた比嘉が、激しくむせた。震える手で床頭台からティッシュを取り、マスクの隙間から手を入れて、口から溢れたピンク色の痰を吐き出す。肺に血管から水分が滲みだし、血液まじりの痰が溢れているのだろう。

「じゃあ、本当に『Akira Hojo』っていうのは、比嘉さん……」

鴻ノ池が呆然とつぶやく。鷹央は「ああ、そうだ」と頷くと、比嘉を見る。

「医師だったお前は、この病院を経営している一族の男と結婚をした。そして数年前に夫を亡くしたことで、お前は巨大医療法人の理事長になった。そうだな」

「ええ、そう。本当は理事長なんて引き受けたくなかったけど、夫の家系には他に医師の資格を持つ者がいなかった。だから、仕方なく」

「医療法人の理事長は原則医師でなくてはならないからな。直接の血縁関係はなくても、身内に継いだほうが良いと判断したわけだ。そうして、お前はこの総合病院において、絶大な力を持つようになった。隣接する土地を買い取って庭園を造り、そこに別館を建てたり、タック・ユオンを入院させたり」

「え、タック・ユオンがこの別館に入院したのって、比嘉さんの指示なんですか⁉」

僕が驚きの声を上げると、鷹央は「当たり前だろ」と呆れ声で言った。

「タック・ユオンは精神症状が苛烈、精神科専門病院の閉鎖病棟で治療を受けるのが当然の状態だ。そんな患者を、夜間は看護師も常駐しないようなこの別館、しかもＶＩＰである理事長の隣の病室に入院させるなんて、あり得ないだろ」

「まあ、たしかに……」

「けれど、そのＶＩＰ自身が希望したなら話は別だ。『自分の担当患者だから、隣の病室に入院させて私が診る』と言えば、何とかなるだろう。この病院の理事長、つまりは最高権力者なんだからな。そして、カルテに虚偽の記載をしたり、庭に廃工場の鍵を埋めたりして、タック・ユオンをスケープゴートに仕上げたんだ」

鷹央は大きく両手を開く。

「ひどい腹痛に苦しんだタック・ユオンがこの病院にやってきたのは、この病院がもともとジャパニーキ、いやフィリピンに本部を置くパニーキと繋がっていたからだ」

「パニーキと繋がっていた⁉」声が裏返ってしまう。

「なにを発情中のネコみたいな声出しているんだ？　ジャパニーキは国内で様々な犯罪行為を働いていた。当然、メンバーが負傷することもある。その際、警察に通報されることなく治療を受けられる医療機関が必要だ。それに、海外へ違法臓器提供をするとなると、適合可能かを調べるためＨＬＡをはじめとする事前検査も必要になる。それらの役目を担っていたのが、この北条総合病院、というかこの別館と比嘉慧だったってわけだ」

「もしかして、この別館って……」

呆然と部屋を見回す僕に、鷹央は「そうだ」と答える。

「この別館はもともと、誰にも知られることなく様々な医療行為を行うために作られたものだ。わざわざあんな凝った庭園を造ったのも、別館の稼働を遅らせて、その間に自分のために利用するためだろうな。怪我をしたジャパニーキのメンバーに対する治療も、そして自らの隣の部屋にタック・ユオンを入院させたことも『自分のための利用』の一つだ」

「隣の部屋にタック・ユオンを入院させたことも？　なんでそんなことをする必要があったんですか？」

「そんなの決まっているだろ。ポルフィリン症による精神症状で混乱しているタック・ユオンを洗脳し、自ら『吸血鬼』だという妄想を刷り込むためだ。そのうえで、仲間を殺したのは自分だと思い込ませて、スケープゴートにして警察の捜査を攪乱しようとしたのさ」

「洗脳って、もしかしてタック・ユオンが聞いた『神の声』って……」

「ああ、幻聴ではなく、この女の声だったんだろうな。夜な夜な壁越しに声をかけてでもいたんだろう。もともと妄想に囚(とら)われている状態でそんなことをされれば、『神の声』を聞いたと錯覚するのも不思議じゃない」

「待って下さい待って下さい」

　僕は頭痛をおぼえながら、鷹央に向かって掌(てのひら)を突き出す。

「そもそも、比嘉さんはなんでパニーキとかかわる必要があったんですか？　金銭的な問題ですか？」

「金銭？　天医会総合病院よりは小さいとはいえ、三百床を超える総合病院の理事長だぞ。そんなに金に困っているとは思えないだろ。そもそも、反社会組織と協力していたなんてバレたら、身の破滅だ。金のためじゃ割に合わない。こいつが必要としていたものは、金では決して買えないものだ」

「お金では買えないものって、……いったいなんですか？」

緊張した面持ちで鴻ノ池が訊ねる。鷹央は顔の横で、左手の人差し指を立てた。

「血液だよ」

「血液……」

僕はかすれ声を喉の奥から絞り出す。

「血液を手に入れるために、パニーキに協力していたって言うんですか」

「ああ、そうだ。金も名誉もあるこいつが、他に反社会組織に協力する必要なんてないからな」

鷹央はあっさりと頷く。

「それはおかしいです。比嘉さんは医師です。総合病院の理事長ですよ。もし血液が欲しいなら、輸血用の血液製剤を発注すればいい。輸血するつもりだったけど、患者の状態が変化したので使用しなかったとでも処理すれば問題になりません」

「普通の血液ではだめだったんだよ。こいつが必要としていたのは、ある『特殊な血液』だったんだ。そうだよな」

鷹央は水を向けるが、比嘉は苦しげな息づかいをするだけで答えなかった。

「特殊な血液って何ですか⁉　なんで、犯罪に加担してまで必要だったんですか？」

「よく思い出してみろ」

鷹央は左手の人差し指をメトロノームのように左右に振りはじめる。

「ジャパニーキのメンバーたちは、定期的に血液を抜かれていた。そして、今回の『吸血鬼連続殺人事件』で犠牲になったのも、全員がジャパニーキのメンバーだ。さて、私たちはどうやって犠牲者がジャパニーキに所属していたと判断した？」

「判断……」

眉根を寄せる僕のそばで、鴻ノ池が勢いよく手を挙げる。

「タトゥー！　血液で描かれていた、コウモリのタトゥーです！」

「そうだ。そして、日本だけで行われていた『血液で描かれていた』という点が、今回の吸血鬼連続殺人事件の真相をあばくための最大の手がかりだ」

「血液で描かれていたことが？」鴻ノ池がまばたきをする。

「他人の血液を使ってタトゥーを彫ることの、他人の血液が付着した針を皮膚に刺すことの最大のリスクはなんだ？」

鷹央は挑発的な笑みを浮かべながら訊ねてくる。

血液が付いた針……、使用済みの注射針……、針刺し事故……。

僕は大きく目を見開く。

「感染！」

「その通りだ」鷹央は指を鳴らす。「その血液が病原体で汚染されていた場合、感染するリスクがある。医療現場でよく問題になるのが、肝炎ウイルスやＨＩＶに感染している患者に使用した注射針を誤って医療従事者が手などに刺してしまい、感染してしまう針刺し事故だな。過去には予防接種の針を使い回したことにより多くの人々がＢ型肝炎に感染する事態が起き、訴訟にもなっている」

「じゃあ、ジャパニーキのメンバーは肝炎ウイルスとかＨＩＶにわざと感染させられたってことですか？」

鴻ノ池が大きな声を上げる。しかし、鷹央は首を横に振った。

「いいや、肝炎ウイルスでもＨＩＶでもない。被害者全員がそれに感染していたら、さすがに司法解剖で気づかれるはずだ。タトゥーに使われていた血液に含まれていたのは、もっとマイナーで、そしてなかなか症状を出さない、感染しても大部分の者はなんの問題も生じないウイルスだ」

「マイナーで、なかなか症状を出さない……」

　僕は鼻の付け根にしわを寄せると、当てはまるウイルスを必死に考える。人間社会には無数のウイルスが循環している。その中で、感染してもほとんど症状を出さないという条件に当てはまるものはいくらでもあり、絞り切ることができなかった。

「もっと俯瞰的に事件全体を眺めるんだ。そのウイルスに感染した者たちの血液を必要としたこの女は、なんの病気でここに入院しているんだ？　そして、この女の出身地はどこだ？」

「なんの病気って、白血病ですよね。たしか、珍しい種類の白血病だと加奈さんが。出身地はちょっと分からないですけど、比嘉っていう名字からしたら沖縄……」

　そこまで言ったところで、僕は言葉を失う。

　珍しい白血病と沖縄、その二つの情報が脳内で融け合い、そして一つのウイルスの名前が浮かび上がってきた。

「ＨＴＬＶ－１……」

　半開きになった僕の口から、その言葉が漏れる。鷹央は「ザッツ・ライト！」と高らかに言った。

「ＨＴＬＶ－１は病原性のレトロウイルスである、ヒトＴ細胞白血病ウイルス１型の略称だ。主に母子感染で広がっていく。いちおう性感染もするが、そこまでリスクは高くない。かつては輸血による感染も確認されていたが、献血者の抗体スクリーニングが行われるようになってからは報告されていない。一度感染するとキャリアとして生涯ウイルスが体内に存在するようになる。ただキャリアの人々の大部分は、HTLV-1が引き起こす疾患を発症することなく一生を過ごす。しかし、キャリアのうちの数パーセントには、恐ろしい病気が発症する」

鷹央はベッドに横たわる比嘉を見つめる。

「こいつの体を蝕んでいる珍しいタイプの血液腫瘍、成人T細胞白血病だ」

マスクの下で比嘉の唇が歪んだ。鷹央はさらに説明を続ける。

「ATLと略されることの多い成人T細胞白血病は、極めて予後が悪い難治性の血液腫瘍だ。化学療法が著効することも少なく、発症一年後の生存率は五十パーセントを割っていて、三年後に至っては十五パーセントまで下がっている」

「あの、質問いいですか?」

鴻ノ池がおずおずと手を挙げる。

「さっき、比嘉さんの出身地が手がかりだって言いましたよね。HTLV-1と出身地って、なにか関係があるんですか?」

「おおありだ」鷹央は左手の人差し指を振る。「さっき言った通りHTLV-1は母子感染をする。そのため、地域により感染率に大きな差があるんだ。日本の場合、九州、そして沖縄でHTLV-1感染者の割合が高くなっている。かつては『九州・沖縄の風土病』とすら言われていたぐらいだ」

「なら、比嘉さんは……」

「ああ、比嘉という名前は沖縄に多い。この女は沖縄出身で、おそらく母子感染でHTLV－1に感染してキャリアになり、運が悪いことに二年前にALTを発症してしまったんだ。そして、その頃からパニーキに協力するようになり、その代わりにメンバーに血液でタトゥーを彫らせ、HTLV－1に感染させたんだ」

比嘉は荒い息をつきながら鷹央の説明を聞き続ける。その口から、反論が漏れることはなかった。

「え、え、よく分かりません。なんで自分が白血病になったら、他の人をHTLV－1に感染させようとするんですか？」

鴻ノ池が口にしたのと全く同じ疑問が、僕の頭の中にも湧きあがっていた。

もしかしたら、難治性の白血病を発症したことで自暴自棄になり、他の者にも同じ苦しみを味わわせようとでも思ったというのだろうか。いや、そんな馬鹿な……。

「血のタトゥーで感染させただけじゃないだろ。この女は感染させたあと、そいつらからあるものを奪い続けていた」

「あるものって……、血液？　でも感染者の血液を集めてどうしようって言うんですか？　大量のウイルスが集まるだけじゃないですか」

鴻ノ池の眉間に深いしわが寄った。鷹央はちっちっと舌を鳴らしながら、左手の人差し指を左右に振る。

「感染者の血液には含まれ、非感染者の血液には含まれないもの。それはウイルスの他にはなぁんだ？」

感染者の血液にだけに含まれる、ウイルス以外のもの……。なぞなぞのような問いかけに、僕は必死に頭を絞る。そのとき、一つの答えがひらめいた。

「抗体！　ＨＴＬＶ－１に対する抗体です！」

「正解だ」鷹央はにっと笑う。「感染者の血液中に存在する抗ＨＴＬＶ－１抗体。ＨＴＬＶ－１に取りつき、それを破壊する抗体がこの女にはなんとしても必要だったんだ。たとえ、犯罪組織と手を組んでもな」

「なんで抗体なんて……。それを投与したら、白血病が治ったりするんですか？」

混乱した様子で、鴻ノ池が額に手を当てる。

「いいや、そんなことはない。成人Ｔ細胞性白血病は、ＨＴＬＶ－１に感染したＴ細胞ががん化し、その腫瘍細胞が全身で無秩序に増殖する疾患だ。たとえＨＴＬＶ－１に対する抗体を投与したところで、その腫瘍細胞には一切影響を与えられない」

「じゃあ、どうして抗体なんて集めていたんですか？」

「こいつは白血病を治すために、血液をかき集めていたんじゃない。『罪』を償うために、そうするしかなかったんだ」

　鴻ノ池が「罪……？」といぶかしげに聞き返した。

「ああ、そうだ。比嘉慧は死ぬ前に、自らが犯した『罪』を償いたかった。たとえ、悪魔に魂を売っても、たとえ『吸血鬼』に身を堕としてもな」

「その罪って、なんなんですか⁉　いったい、なんのためになら多くの若者を殺して血液を奪い取るなんていう鬼畜の所業ができるんですか？」

　声を大きくする僕の鼻先に、鷹央は左手の人差し指を突きつける。

「一から十まで全部説明させようとしないで、少しはその小鳥頭で考えたらどうなんだ。これまでお前が見聞きしてきた情報、それらのピースを正しい位置に嵌め込み組み合わせることで、この事件の真相が明らかになるはずだ」

「これまで見聞きしてきた情報……」

　僕は必死に記憶を呼び起こしていく。

「いいか、ＨＴＬＶ－１関連疾患と言ったら、まずＡＬＴが思い浮かぶ。しかし、この厄介なウイルスが引き起こす症状はそれだけか？」

　鷹央の指先が、僕の鼻の頭に触れた。

　ＨＴＬＶ－１が引き起こす疾患……。そこまで考えたとき僕は脳裏に、残したサンドイッチが入ったケースを膝に載せ、哀しげに佇んでいる加奈の姿が浮かんだ。

たのは……。

あのとき、加奈が「聞くのも嫌だ」と言って残していったサンドイッチに入ってい

「ハム！」僕は思わず叫んでしまう。

「え、どうしたんですか、小鳥先生？　そんなにお腹すいたんですか？」

目を大きくした鴻ノ池が的外れなことを言い出す。

「違うＨＡＭ、ＨＴＬＶ－１関連脊髄症だ。ＨＴＬＶ－１に感染したリンパ球が脊髄に慢性的に炎症を引き起こし、下肢を中心に神経障害が生じる疾患で、ＨＴＬＶ－１に感染している人の四百人に一人程度の割合で起こる。根本的な治療法はまだ存在しない難病だ」

「え、じゃあもしかして加奈さんって……」鴻ノ池がまばたきをくり返す。

「ああ、おそらくＨＴＬＶ－１に感染している。そしてＨＡＭを発症して下肢が麻痺しているんだ。だからこそ、『ハム』という言葉を聞くのも嫌だと言っていた」

「正解だ」鷹央が静かに言う。「松本加奈をＨＴＬＶ－１に感染させてしまい、そしてＨＡＭにより麻痺を生じさせてしまった。それが比嘉慧の抱えている『罪』だ」

比嘉の表情が大きく歪んだ。おそらくは、白血病による苦痛とは違う理由で。

「え、『感染させてしまい』ってどういうことですか？　ＨＴＬＶ－１って母子感染なんですよね。けど、比嘉さんと加奈さんは親子じゃないですよね」

鴻ノ池が眉根を寄せると、鷹央が僕に流し目をくれてきた。

「小鳥、お前なら分かるだろ」

僕は「はい」とあごを引くと、ゆっくりと口を開いた。

「たしかにＨＴＬＶ－１は主に母子感染によって広がっていく。けれど、ＨＩＶのように出産時に起きることはまれです。ＨＴＬＶ－１の最大の感染経路、それは……母乳による感染」

マスクに覆われた比嘉の口からうめき声が漏れた。

「母乳……」鴻ノ池は呆然とその言葉をくり返す。

「そうだ。母乳中に含まれるウイルスを乳児が飲むことで感染が成立するんだ。だからこそ、ＨＴＬＶ－１キャリアの母親は、母乳ではなく人工乳で育児をすることが勧められているんだよ」

鴻ノ池は口を半開きにしたまま、比嘉に視線を向けた。

「加奈さんが言っていた。比嘉さんと加奈さんのお母さんは親友で、同じ時期に妊娠して子供を産んだ。けれど、比嘉さんの赤ちゃんは死産で、逆に加奈さんのお母さんは出産時に大量出血して、何週間も入院することになった。だから、比嘉さんは本当の母親のように育てた」

「ああ、本当の母親のように……母乳をあげてな」

僕は静かに言う。比嘉のうめき声に嗚咽が混じりはじめる。

「じゃ、じゃあ比嘉さんは、加奈さんの病気を治すために、ＨＴＬＶ－１の抗体を集めていたってことですか？　それでＨＡＭが治るんですか？」

早口で鴻ノ池がまくしたてると、鷹央は「その可能性はある」と答えた。

「ＨＡＭの病状は体内に存在するＨＴＬＶ－１のウイルス量と比例することが多い。そしてγグロブリン療法、つまりは抗ＨＴＬＶ－１抗体の投与で、体内のウイルス量が減少するというデータがある。松本加奈自身が言っていただろ。三年前はほとんど寝たきりだったが、新しい治療を受けることで症状が改善し、少しなら歩けるほどになっているって。その『新しい治療』こそ、抗ＨＴＬＶ－１抗体を使ったγグロブリン療法だ」

「そのことを、……加奈さんは知っているんですか？」

震える声を鴻ノ池が絞り出すと、唐突に「知らない！」という声が響き渡った。

僕は驚いてその声の主を見る。ベッドに横たわったまま、般若のような形相を浮かべている比嘉慧を。

「あの子は……、加奈はなにも知らない。あの子は……ただ、自分に合う薬が見つかったと……思っているだけ」

苦しそうに声を絞り出す比嘉を、鷹央は睥睨する。

「それが、どうやって作られたものなのか教えていないんだな。まあ、そりゃあそうだろうな。犯罪組織に協力する見返りに、そのメンバーたちをウイルスに感染させ、体内で必要な抗体を産生させる。ある意味、抗体の生産工場にしたなんて知られるわけにはいかないよな。しかも……」

鷹央の目付きが鋭くなる。

「最終的には複数のメンバーから全身の血液を抜き取り、殺害しているんだからな」

鷹央の視線から逃げるように目を伏せる比嘉を見て、僕はかぶりを振る。

「そこがよく分かりません。どうして、殺す必要があったんですか？　だって、HTLV－1に感染したジャパニーキのメンバーたちは、定期的に血液を抜かれていたんですよね。継続的に抗体を手に入れるシステムは出来上がっていたはずじゃないですか。なのに、なんで失血死させたうえ、それを『吸血鬼』の仕業に見せかけるなんてことをしないといけなかったんですか？」

「それには、おそらく二つの要因がある」

鷹央はピースサインを作るかのように、左手の人差し指と中指を立てた。

「一つはジャパニーキと、フィリピンにあるパニーキ本部との関係が劇的に悪化したこと。命を狙われていることを悟ったジャパニーキのボスである宮城は、組織を捨て姿を消そうとしていた。そうなると比嘉慧は今後、抗体を継続的に得ることが難しくなる。自分の正体を知っている幹部たちを始末したい宮城と、最後に大量の抗体を得ておきたい比嘉慧の利害関係が一致したのさ」

自らの目的のため、いとも簡単に若者の命を奪う。それこそ、本物の『怪物』ではないか……。

「それで、麻酔薬で眠らせて失血死させたんですか？　けれど、全身の血液を抜くなんて、そんな簡単にできるんですか？」

鴻ノ池の問いに、鷹央は「できるさ」と唇の端を上げた。

「そのための機械を、私たちは日常的に使用しているじゃないか」

「血液を抜くための機械……？」

数秒、視線を彷徨（さまよ）わせたあと、鴻ノ池は大きく目を見開く。

「人工透析器！」

「そうだ。腎不全患者に行う人工透析では、血管にチューブを刺して大量の血液を体外に引き出し、それを透析膜で浄化して体内に戻す。しかし、血液を体外で回収し、代わりに生理食塩水を戻せば血管が虚脱することなく、全身の血液を効率よく抜き去ることができるはずだ」

「ということは、被害者たちの首筋についていた穴って、牙のあとじゃなくて……」

「ああ、透析の際に使用する脱血用と返血用のチューブを穿刺した傷痕だ。そして、その処置を行ったのは、おそらくこの別館だろう」

「ここで……」僕は思わず、部屋を見回す。

「ここには夜は看護師が常駐していないし、備品室には透析器や大量の生理食塩水もあった。しかも、混乱状態で自らを『吸血鬼』だと思い込んでいるタック・ユオンも入院している。あいつに、自分がやったことだと思い込ませ、死体を遺棄させていたんだろう。スケープゴートにするには最適な環境だ。まあ、もともとは奥多摩にあった廃工場でやっていたんだろうけどな」

「……鷹央先生」僕は緊張しつつ訊ねる。「さっき、理由は二つあるって言いましたよね。それじゃあ、もう一つの理由はなんですか？」

鷹央はピースサインを作っていた左手の中指を折ると、人差し指で比嘉を指さした。

「比嘉慧の寿命が尽きかけているからだ」

「寿命が……」

僕はベッドわきのモニターに視線を向ける。そこに表示されている収縮期血圧は、すでに九十を切っていた。

「そう、比嘉慧は自らが母乳を与えたせいで加奈がＨＴＬＶ－１に感染し、そしてＨＡＭを発症して下肢が麻痺してしまったことに強い罪悪感を抱いていた。だから、命が尽きる前にその『罪』を清算したかった。加奈が一生、治療を受けられるだけの抗

HTLV－1抗体をストックしておきたかったんだ」

「一生って……、そんなこと可能なんですか？」

「投与された抗体は一般的に数ヶ月は持続する。約百回分の抗体薬があれば、現在二十歳の松本加奈はほぼ一生治療を受けられる、おそらくは自らの足で歩いて生活させることができると思ったんだろうな。だから、一心不乱にHTLV－1感染者の血液を掻き集めた。それが、吸血鬼連続殺人事件のちぐはぐさに繋がったんだ」

「ちぐはぐさ、ですか？」鴻ノ池が不思議そうにつぶやく。

「そうだ。今回の事件は穴だらけだ。せっかく、タック・ユオンというスケープゴートを用意したのに、混乱状態のあいつの犯行にしては殺害と死体遺棄の手際があまりにもよすぎた。そのせいで、タック・ユオンが保護されたあとも捜査は続き、宮城の犯行である可能性が高いと当局に突き止められた。それにもかかわらず、今度はその宮城の失血死した遺体を放置した。もうめちゃくちゃだ。ただ、こう考えれば全て説明がつく。黒幕はただ時間稼ぎさえできればよかったんだよ。必要な血液を集めるまでの時間稼ぎがな」

　事件の真相はほぼ明らかになった。しかし、僕にはまだ分からないことがあった。

「だとしても、わざわざ宮城を殺す必要はなかったんじゃないですか？　あれをしなければ、全てが宮城の犯行だということになっていたはずなのに」

「言っただろ、『必要な血液を集める』ことが重要だったってな」

話し疲れたのか、鷹央は小さく息を吐く。

「なあ、ジャパニーキのメンバーたちに、タトゥーを彫る際に使われていた血液、あれは誰のだと思う？」

「え、誰のって……」

「あのような反社会組織では『血の契り』を交わす場合、普通は組織のボスの血液を使うもんじゃないか？」

「え？　じゃあ、じゃあ宮城の血液を使ってタトゥーをいれていたってことですか？」

「ああ、そうだ。そして、その『血のタトゥー』を彫られた者たちはＨＴＬＶ－１に感染した」

「……宮城もＨＴＬＶ－１のキャリアだった」

僕がうめくように言うと、鷹央は首を縦に振る。

「そう考えるのが妥当だ。宮城は持っていたんだよ。ＨＴＬＶに対する抗体をな」

「じゃあ、その血液を奪うために手を組んでいた宮城を殺したっていうんですか？」

「それとともに、血液から抗体薬を作っていたことを知っている人間をこの世から消そうとしたんだろうな。一石二鳥ってわけだ。血液を回収したうえで、遺体を処理してもらうことを条件に、パニーキに宮城を売ったんだ。おそらく、比嘉慧から情報をもらったパニーキのヒットマンが宮城を拘束し、ここに連れてきたんだろう。そして、これまでと同じように透析器を使って失血死させた。そうやって必要量の抗体薬を手に入れたことで、目的を達したこの女は、ここで静かに最期のときを待っている。つまり……」

鷹央はベッド柵に手をかけると、覗き込むように比嘉と目を合わせながら告げる。

「比嘉慧、お前こそが『吸血鬼』だ」

鷹央の告発が部屋の空気を揺らす。そして、沈黙がおりた。

認めるのか、それとも否定するのか、僕は固唾をのんで比嘉の反応を待つ。

「ふふ、ふふふ、うふふふふ……」

酸素マスクの下で弱々しい笑い声を漏らしながら、比嘉はベッド柵についているリモコンを押す。電動ベッドが駆動音を響かせながら動き、横たわっていた比嘉の上半身が斜めに起き上がる。

「さすがは天久鷹央先生、噂には聞いていたけどすごい推理力……、いえ診断力ね」

腫瘍細胞の脳転移による混乱を装うことを放棄した比嘉の口調は、かすかに苦しげではあるものの、明瞭で知性に溢れるものだった。

「自分が『吸血鬼』だと認めるということか？」

鷹央が問うと、比嘉は緩慢に首を横に振った。

「いいえ、認めない。私はなにも認めないわよ」

「認めないって……、警察がしっかりと調べれば全部はっきりするんですよ」

諭すような口調で言う鴻ノ池に、比嘉は小馬鹿にするように鼻を鳴らした。

「しっかり調べればそうでしょうね。けれど、警察はそんなことしない。というか、できないの。ねえ、天久鷹央先生、あなたの推理で一つだけ間違っている点がある。宮城の血液でもまだ不十分だったの。あなたなら、この言葉の意味が分かるでしょ」

宮城の血液でも不十分？　一体どういう意味だ？　戸惑う僕の隣で、鷹央がぼそりとつぶやいた。

「そこまで徹底しているのか……」

「徹底している？　どういうことですか？」

「簡単なことだ。宮城の血液を全て奪い取っても、まだ必要量には足りなかった。だから最後に、もう一人分だけＨＴＬＶ－１キャリアから血液を回収したんだよ」

「もう一人分？　他にも失血死した人がいるって言うんですか？」

僕が焦って訊ねると、鷹央は首を横に振った。

「いいや、まだ失血死はしていない。まだ、な」

まだ失血死はしていない？　そしてＨＴＬＶ－１キャリア……。

そこまで考えたとき、ほんのさっき加奈が口にしていた言葉が耳に蘇る。

——かなり貧血がひどくて、そのせいで心不全を起こしているそうです。

——ただ、出血箇所ははっきりしないみたいです。

「まさか……」

あまりにも恐ろしい想像に、声が震えてしまう。

「ああ、そうだ。命が繋がるぎりぎりまで自分の血液を抜き、抗体薬の材料にしたのさ。そうすれば、必要な抗体を確保できるし、そして警察の捜査に幕を引くことが出来る。完璧な作戦だ」

「捜査に幕を引けるって、どうしてですか⁉」鴻ノ池が甲高い声を上げた。

「そのままの意味だ。捜査本部の目的は犯人の逮捕・起訴だ。だからこそ、犯人と思われる人物が死亡している事件では、被疑者死亡で書類送検だけして、詳しい捜査をしない。起訴のための証拠集めが必要ないからだ。そして、たとえ私がいまの推理を警察に伝えたとしても、本格的な捜査が行われる可能性は低いだろう。吸血鬼連続殺人事件の犯人は宮城であり、その宮城を殺害したパニーキのヒットマンは国外に逃げたとすでに結論付けているうえ、事件の黒幕はその頃には……命を落としているんだからな。そうなるよう、この女は血液を抜いて自らの寿命を縮めたんだ。極めて合理的で、そして非人間的な選択だな」

僕は再びモニターを確認する。さっきまで毎分百二十回程度だった心拍数が、いつの間にか百を切っていた。

何人もの人々の命を奪った『吸血鬼』、その命がいま尽きようとしている。なんの罰も受けないまま。

「残念だったわね、天久鷹央先生。せっかくの名推理だけど、私の勝ちよ。私は『罪』を償って、自分の命にピリオドを打つ」

「『罪』を償って？　いいや、違うな」

鷹央は比嘉を見つめると、静かに告げる。

「お前の本当の『罪』は、松本加奈に母乳を与えＨＴＬＶ－１に感染させたことではない。医師という人を救う立場でありながら犯罪組織と結託し、自らの罪悪感をごまかすために多くの者の命を奪ったことだ」

淡々と鷹央に告げられた比嘉の表情が、炎で炙（あぶ）られた飴（あめ）細工のように歪んだ。

「……そんなこと分かっている。けれど、こうするしかなかったのよ。その『罪』は私が地獄に堕ちることで償う」

「地獄？　償う？」鷹央は舌を鳴らす。「なにを自分に酔っているんだ。その『罪』を背負うことになるのはお前じゃない。松本加奈だ」

「なっ⁉」

酸素マスクに覆われた比嘉の口から、悲鳴じみた声が漏れた。

「加奈は関係ない！　あの子はなにも知らないの！」

「関係ないわけがないだろう。松本加奈は今後、お前の『罪』の結晶である抗体薬の投与を受けることになる。一生、松本加奈の体内には『罪』が流れ続けるんだ」

「そんなの関係ない。加奈は何も知らず、治療を受けて幸せに生きるの。私の勝ちだよ、天久鷹央先生」

比嘉は大きく口を開けて叫ぶ。貧血で蒼白い肌、歯肉が痩せて牙のように見える犬歯、その姿はまさに『吸血鬼』そのものだった。

「お前の勝ち？　それはどうかな？」

鷹央は笑みを浮かべる。どこまでも残酷な笑みを。

「なにを……、言っているの……？」

比嘉の顔に恐怖が広がっていく。モニターに表示される心拍数がじわじわと下がっていく。命の灯が消えかけている。

「たしかに警察に真実を伝えても、綿密な捜査はされないだろう。しかし、松本加奈にならどうかな？　自分の麻痺を治した薬が、他人の命を糧に作られたものだと知ったら、どんな反応を示すかな」

「そんな!?　お願いだから、やめて！　あの子の人生をめちゃくちゃにしないで！」

縋るように伸ばしてくる手を鷹央は振り払った。

「お前に血を抜かれて死んだ若者たち、そしてその家族たちの人生はどうなる。夢を追ってやってきた異国の地で虐げられ、家畜のように利用され、最後には命を奪われた無念をどう晴らす。大切な人を喪った家族の哀しみをどう癒せるというんだ」

鷹央の刃物のように鋭い視線が比嘉を貫く。

「絶望に塗れて最期のときを迎えろ。それこそが、地獄に堕ちるなどという世迷言ではなく、お前に出来るせめてもの『償い』だ」

鷹央はそう吐き捨てると、踵を返して出入り口に向かう。僕と鴻ノ池はわずかに躊躇ったあと、鷹央のあとを追う。

背中から、悲痛で苦しげな嗚咽が響いてくる。振り返ると、ベッド柵に寄りかかるようにして、比嘉がこうべを垂れ、慟哭していた。

「……行くぞ」

鷹央が静かに言う。

『吸血鬼』の末路を見届けた僕たちは、ゆっくりと病室をあとにした。

＊＊＊

僕たちは、そのまま北条総合病院の別館をあとにして、重い足取りで庭園を歩いていく。

「あ、どうも」

池のそばにきたとき、そこで待機している加奈が声をかけてきた。鷹央と比嘉の会話を思い出し、心臓の鼓動が加速していく。

「あの、ケイおばさんに会いに行ったんですよね？　様子はどうでしたか？　なにか話せました？」

心配げに加奈は訊ねた。

比嘉慧の、『吸血鬼』の罪を、鷹央は本当に加奈に伝えるのだろうか。僕と鴻ノ池が息を呑んで見守る中、鷹央はゆっくりと桜色の唇を開いた。

「いや、話すことはできなかった。穏やかに眠っていたからな」

「そうですか」

加奈が頷いたとき、別館の扉が開き看護師が顔を出した。

「松本さん、すぐにいらしてください！　理事長が……」

加奈は表情を強張らせると、「失礼します」と、慌てて車椅子を操作して去っていく。その後ろ姿が別館の中に吸い込まれていくのを見送った僕は、隣に立つ鷹央に声をかける。

「これでいいんですか？」

「ああ、きっとこれでいいんだ」

鷹央は天を見上げる。

「比嘉慧の言う通りだ。松本加奈が罪を背負う必要はない。人の生き血を啜った罪、それは『吸血鬼』だけが償うべきものだ」

夕日が空を血のように赤く染め上げていた。

エピローグ

「どうした、飲まないのか？」

鷹央は深紅の液体が注がれたワイングラスを回す。

「いや、飲みますよ。一口飲んじゃって、もう車を運転しては帰れませんから。けどまさか、これがこの前に立て替えたワイン代金の代わりだとか言いませんよね？」

比嘉慧の、『吸血鬼』の死亡をもって、吸血鬼連続殺人事件の幕がおりた翌週の金曜、鷹央が突然「この前のワイン代金を払うから、仕事終わったら〝家〟に来い」と言い出した。言われた通りに救急部の勤務のあと屋上にある鷹央の〝家〟にやってくると、いきなり「飲め」とグラスを口元に押し付けられ、ワインを喉に流し込まれた。

「まさか、そんなこと言うわけがないだろ。このワインは、お前が連れて行ったレストランで飲んだワインよりも遥かに貴重で値が張る、私の秘蔵の一本だ。本来は代わりになんかならないんだが、今回は特別にこれを飲ませてやろう。ああ、金は気にすることはない。今回の事件解決にはお前もそれなりに役立ったし、この前のワインの代金と相殺ということにしておいてやる」

やっぱり金ではなく、ワインで現物支給するつもりなのか……。

「それって、たんに飲み会をしたいだけじゃないですか」

愚痴をこぼしながら僕はグラスに口をつけ、赤ワインを口に含む。

濃厚で芳醇な風味が口の中に広がり、タンニンの深い渋みと軽やかな酸味のハーモニーが舌を包み込む。アルコールで揮発したブドウの華やかな香りが鼻腔を満たしていった。

「どうだ？」

鷹央は得意げに顔をのぞき込んでくる。

「……うまいです。たしかにめちゃくちゃうまいですね」

僕はワインの香りを含んだため息をつく。ここまでうまいワインをふるまわれては、さすがにこの前のワイン代を払えとは言いにくい。開き直って、飲み会を楽しむとするか。

「ですよね！」

陽気な声が響き渡る。僕より一足先にこの〝家〟にやってきて飲みはじめている鴻ノ池が、グラスを掲げていた。

この前は僕にフレンチを、そして今日は鷹央に高級ワインを奢ってもらっているこいつが一番の役得だな。

「で、今日は吸血鬼連続殺人事件解決の打ち上げってわけですか？」

ちびちびと舐めるようにワインを飲みながら、僕はソファーに腰掛ける。

「解決、か。私はあの事件を解決したのかな」

僕の隣に腰掛けた鷹央は、グラスの中身を一気にあおると、遠い目で天井辺りを見つめる。

一昨日、桜井が捜査本部解散の報告をしにやってきた。先日の話の通り、宮城を被疑者死亡で書類送検したあと、フィリピンの捜査当局に協力を要請していく予定らしい。

桜井の話を聞いている間、鷹央が口を開くことはなかった。比嘉慧の、本物の『吸血鬼』のことは、桜井には伝えなかった。

きっと、それでよかったのだろう。すでに『吸血鬼』は命を落とした。あの悲惨な事件の真相が公表されれば、松本加奈が深く傷つき、そして治療を受けることはできなくなって、また寝たきりの生活に戻るだろう。そして、なにより清瀬市の地域医療を担っている北条総合病院は致命的なスキャンダルにより機能不全に陥るはずだ。そうなれば、あの病院にかかっている多くの患者たちが苦しむことになる。

僕たちは警察でも探偵でもなく、医者だ。医者の仕事は患者を救うことであり他人を裁くことではないはずだ。桜井に吸血鬼連続殺人事件の真相を伝えなかったこと。それは鷹央が『名探偵』であるより前に、『医師』であるからなのだろう。

「解決できましたよ。そのうえで鷹央先生は、医師として完璧な選択をしたんです」

僕が声をかけると、鷹央の表情がふっと緩んだ。

「だといいな……」

精神鑑定を受けているタック・ユオンについては、心神喪失が認められる公算が大きいということだった。今後は専門病院で治療を受け、そして母国の家族の元へと帰っていくことだろう。

また、桜井の話によると吸血鬼連続殺人の被害者である四人の家族あてに、匿名の人物から日本円にして一千万円ほどの大金が贈られたということだった。おそらくは、死期を前にして比嘉慧が、せめてもの償いにと支払ったものだろう。それが贖罪になるとは決して思わないが、娘のように接してきた女性のために『吸血鬼』と化した一方で、比嘉慧は自らの『罪』に苛まれ続けてきたのだ。

「どうしたんですか、しんみりして。せっかくめっちゃ美味しいお酒があるんですから、楽しみましょうよ」

鴻ノ池がはしゃいだ声をかける。きっとこいつも鷹央を気遣い、なんとか場を盛り上げようとしているのだろう。

「最近、美味しいごはんとかお酒とかのご相伴にあずかって、めっちゃ楽しい。統括診断部最高！」

うっすらと赤らんだ顔で叫ぶと、鴻ノ池はワインを飲み干す。

……やっぱり、すでに酔っているだけかも。

「そうだな、楽しまないとせっかくのワインがもったいない。よし、今日は吐くまで飲むぞ！」

「鷹央先生が飲みすぎて吐く頃には、僕たちは間違いなくアルコール漬けになって息絶えています……」

今夜は地獄絵図になりそうだ。

「なにわけ分からないことを言っているんだ。いいから、お前も楽しめよ」

ボトルを手にした鷹央が、僕のグラスになみなみと注いでくる。

「はいはい、ありがたくいただきます」

苦笑する僕の前で、鷹央は自らのグラスを高々と掲げた。

「では、あらためて乾杯」

僕と鴻ノ池も、鷹央に倣う。

血のように紅（あか）い液体が揺れて、間接照明の淡い明かりが美しく乱反射した。

本書は書き下ろしです。

実業之日本社文庫　最新刊

堂場瞬一
チームIII　堂場瞬一スポーツ小説コレクション
スランプに陥った若きエースを救え！　箱根駅伝「学連選抜」の伝説のランナーによる規格外の特訓が始まった――名手が放つマラソン小説の新たな傑作！
と118

西村京太郎
愛の伊予灘ものがたり　紫電改が飛んだ日
幻の戦闘機の謎を追った男はなぜ殺されたのか？　四国松山で十津川警部が解き明かす、戦争が生んだ悲劇と事件の驚きの真相とは――!?（解説・山前　譲）
に129

東野圭吾
白銀ジャック　新装版
ゲレンデに爆弾が仕掛けられた。人質はスキー場にいるすべての人々。犯人の目的は金目当てか、それとも復讐か。雪山タイムリミットサスペンス第1弾!!
ひ16

東野圭吾
疾風ロンド　新装版
生物兵器が盗まれた。手がかりは、スキー場らしき場所で撮られた写真だけ。回収を命じられた研究員の運命は？　雪山タイムリミットサスペンス第2弾!!
ひ17

東野圭吾
雪煙チェイス　新装版
殺人容疑をかけられた大学生の竜実。アリバイ証人を探すため日本屈指のスキー場へ向かうが、追跡者が迫り――。雪山タイムリミットサスペンス第3弾!!
ひ18

南　英男
異常手口　捜査前線
猟奇殺人犯の正体は!?――警視庁町田署の女刑事・保科志帆は相棒になった元マル暴の有働力哉の強引な捜査に翻弄されて…。傑作警察ハードサスペンス。
み731

遊歩新夢
神様がくれた最後の7日間
人生が嫌になり、この世から消えようとする僕の前に現れたのは神様と名乗る少女。彼女は誰!?　絶望の果て――世界の終わりに、僕は君と一生分の恋をする！
ゆ33

実業之日本社文庫　好評既刊

知念実希人
崩れる脳を抱きしめて
研修医のもとに、彼女の死の知らせが届く……。愛した彼女は本当に死んだのか？　驚愕し、感動する、恋愛ミステリー。著者初の本屋大賞ノミネート作品！
ち16

相場英雄
偽金　フェイクマネー
リストラ男とアラサー女、史上最強の大逆転劇！〈偽金〉を追いかけるふたりの陰で、現代ヤクザが暗躍――。極上エンタメ小説！（解説・田口幹人）
あ91

相場英雄
復讐の血
新宿歌舞伎町で金融ヤクザが惨殺。総理事務秘書官と警視庁刑事が事件を追う。名物ママの死、金融庁審議官の失踪、幾重にも張られた罠。衝撃のラスト！
あ92

相場英雄
ファンクション7
新宿の雑踏で無差別テロ勃発。その裏には北朝鮮のテロリストの影が……。北朝鮮、韓国、日本を舞台に、人々の生きざまが錯綜する、社会派サスペンス！
あ93

五十嵐貴久
マーダーハウス
希望の大学に受かり、豪華なシェアハウスで暮らすことになった理佐の平穏な日々は、同居人の不可解な死で壊れていく。予想外の結末、サイコミステリー。
い36

実業之日本社文庫　好評既刊

伊坂幸太郎
砂漠
この一冊で世界が変わる、かもしれない。一瞬で過ぎる学生時代の瑞々しさと切なさを描いた一生モノの傑作長編！　小社文庫限定の書き下ろしあとがき収録。
い12 1

伊坂幸太郎
フーガはユーガ
優我はファミレスで一人の男に語り出す。双子の弟・風我のこと、幸せでなかった子供時代のこと、「アレ」のこと。本屋大賞ノミネート作品！（解説・瀧井朝世）
い12 2

伊兼源太郎
密告はうたう　警視庁監察ファイル
警察職員の不正を取り締まる警視庁人事一課監察係の佐良は元同僚・皆口菜子の監察を命じられた。彼女とはかつて未解決事件での因縁が…。（解説・池上冬樹）
い13 1

伊兼源太郎
ブラックリスト　警視庁監察ファイル
容疑者は全員警察官――逃亡中の詐欺犯たちが次々と変死。警察内部からの情報漏洩はあったのか。ブラックリストが示す組織の闇とは⁉（解説・香山二三郎）
い13 2

池井戸 潤
空飛ぶタイヤ
正義は我にありだ――名門巨大企業に立ち向かう弱小会社社長の熱き闘い。『下町ロケット』の原点といえる感動巨編！（解説・村上貴史）
い11 1

実業之日本社文庫　好評既刊

池井戸 潤
不祥事
痛快すぎる女子銀行員・花咲舞が様々なトラブルを解決に導き、腐った銀行を叩き直す！ テレビドラマ「花咲舞が黙ってない」原作。（解説・加藤正俊）
い11 2

池井戸 潤
仇敵
不祥事を追及して職を追われた元エリート銀行員・恋窪商太郎。彼の前に退職のきっかけとなった仇敵が現れた時、人生のリベンジが始まる！（解説・霜月 蒼）
い11 3

大山誠一郎
アリバイ崩し承ります
美谷時計店には「アリバイ崩し承ります」という貼り紙がある。店主の美谷時乃は、7つの事件や謎を解決できるのか!?（解説・乾くるみ）
お8 1

草凪 優
アンダーグラウンド・ガールズ
東京・吉原の高級ソープランドが廃業した。人気の嬢たちはデリヘルを始め、軌道に乗るも、悪党共の手により…。女たちは復讐を誓う。超官能サスペンス！
く6 8

草凪 優
女風
女性用風俗（女風）を描く最旬小説。処女でプライドの高い女社長、アイドルグループの絶対的エースなど悩める女を幸せへと導く、人気セラピストの真髄！
く6 12

実業之日本社文庫　好評既刊

今野 敏
マル暴甘糟（あまかす）
警察小説史上、最弱の刑事登場!? 夜中に起きた傷害事件は暴力団の抗争か半グレの怨恨か。弱腰刑事の活躍に笑って泣ける新シリーズ誕生！（解説・関根 亨）
こ211

今野 敏
マル暴総監
史上〝最弱〟の刑事・甘糟が大ピンチ!? 殺人事件の捜査線上に浮かんだ男はまさかの……痛快〈マル暴〉シリーズ待望の第二弾！（解説・関口苑生）
こ213

白井智之
お前の彼女は二階で茹で死に
自殺した妹リチウムの仇を討つために、刑事になったヒコボシ。事件の謎を解くのは女子高生探偵マホマホ。スラッシャー小説×本格ミステリ!!（解説・乾くるみ）
し91

貫井徳郎
微笑む人
エリート銀行員が妻子を殺害。事件の真実を小説家が追うが……。理解できない犯罪の怖さを描く、ミステリーの常識を超えた衝撃作。（解説・末國善己）
ぬ11

貫井徳郎
プリズム
小学校の女性教師が自宅で死体となって発見された。しかし、犯人は捕まらない。誰が犯人なのか。本格ミステリの極北、衝撃の問題作！（解説・千街晶之）
ぬ12

実業之日本社文庫　好評既刊

貫井徳郎
追憶のかけら　現代語版
大学講師・松嶋は自殺した作家の未発表手記を入手。自殺の真相を究明しようとするが……。辿り着いた真実とは？　圧巻のミステリ巨編！（解説・野地嘉文）
ぬ１３

貫井徳郎
罪と祈り
元警察官の辰司が隅田川で死んだ。当初は事故と思われたが…。貫井徳郎史上、最も切なく悲しい誘拐事件。慟哭のどんでん返しミステリ！（解説・西上心太）
ぬ１４

馳　星周
神（カムイ）の涙
アイヌの木彫り作家と孫娘の家に、若い男が訪ねてきた。男には明かせない過去があった。著者が故郷・北海道を舞台に描いた感涙の新家族小説！（解説・唯川恵）
は101

東野圭吾
恋のゴンドラ
広太は合コンで知り合った桃美とスノボ旅行へ。ところがゴンドラに同乗してきたのは、同棲中の婚約者だった！　真冬のゲレンデを舞台に起きる愛憎劇！

ひ１４

藤田宜永
彼女の恐喝
奨学金を利用し、クラブで働く圭子と、殺人現場から逃げ出した男。ふたりは次第に接近する。驚愕の心理サスペンス。著者、最後の作品。（解説・西上心太）
ふ７１

実業之日本社文庫 ち1 208

吸血鬼の原罪　天久鷹央の事件カルテ

2023年10月15日　初版第1刷発行

著　者　知念実希人

発行者　岩野裕一
発行所　株式会社実業之日本社
〒107-0062　東京都港区南青山6-6-22 emergence 2
電話 [編集]03(6809)0473 [販売]03(6809)0495
ホームページ　https://www.j-n.co.jp/
ＤＴＰ　ラッシュ
印刷所　大日本印刷株式会社
製本所　大日本印刷株式会社

フォーマットデザイン　鈴木正道（Suzuki Design）

ISBN978-4-408-55834-9（第二文芸）